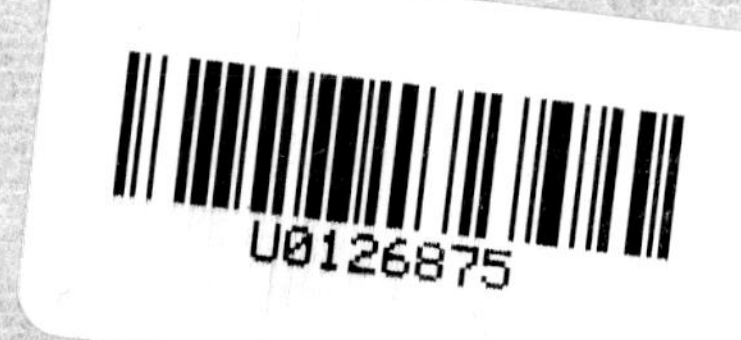

崇賢館

崇賢善本

崇賢善本

壬辰仲秋京師崇賢館刊

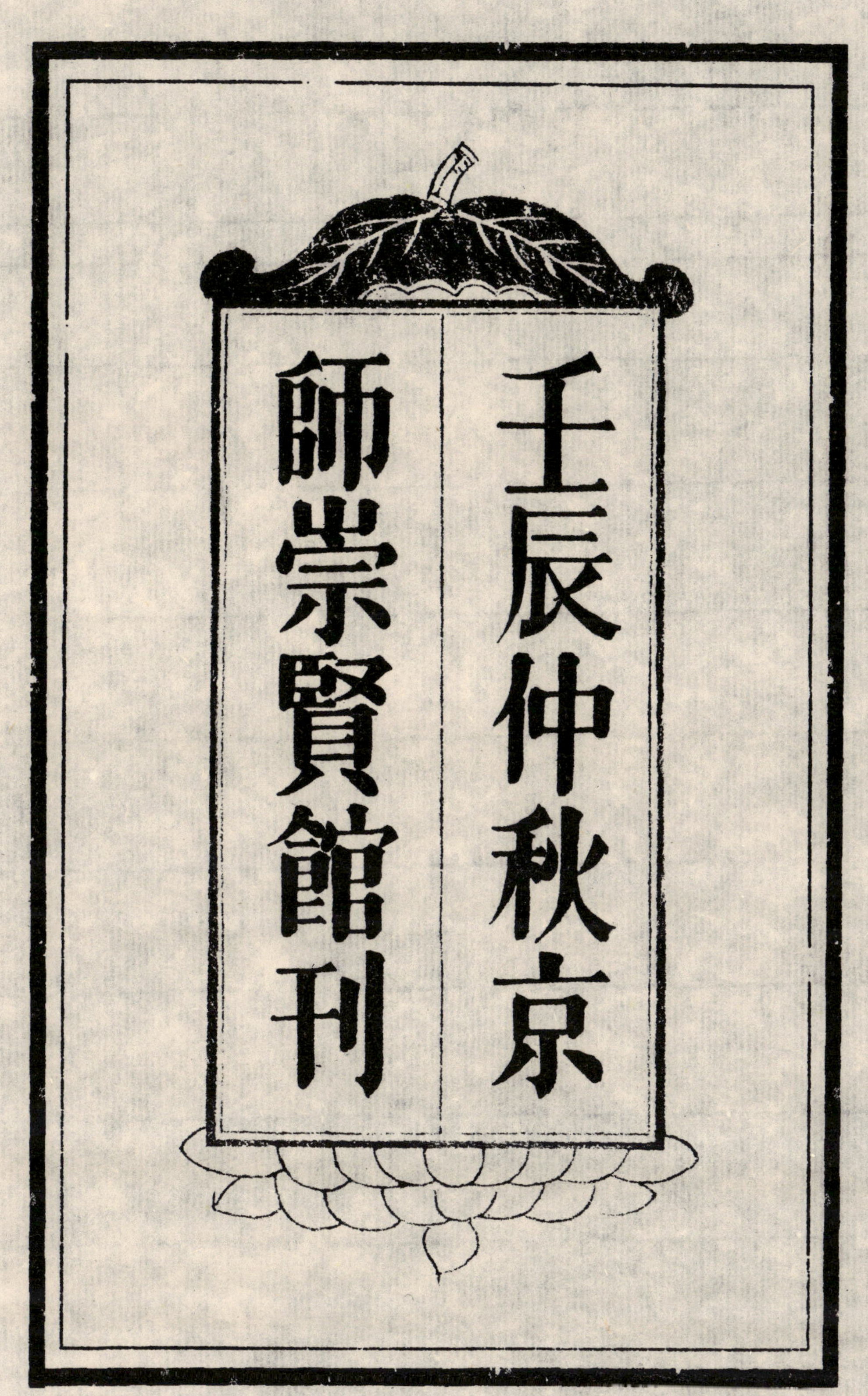

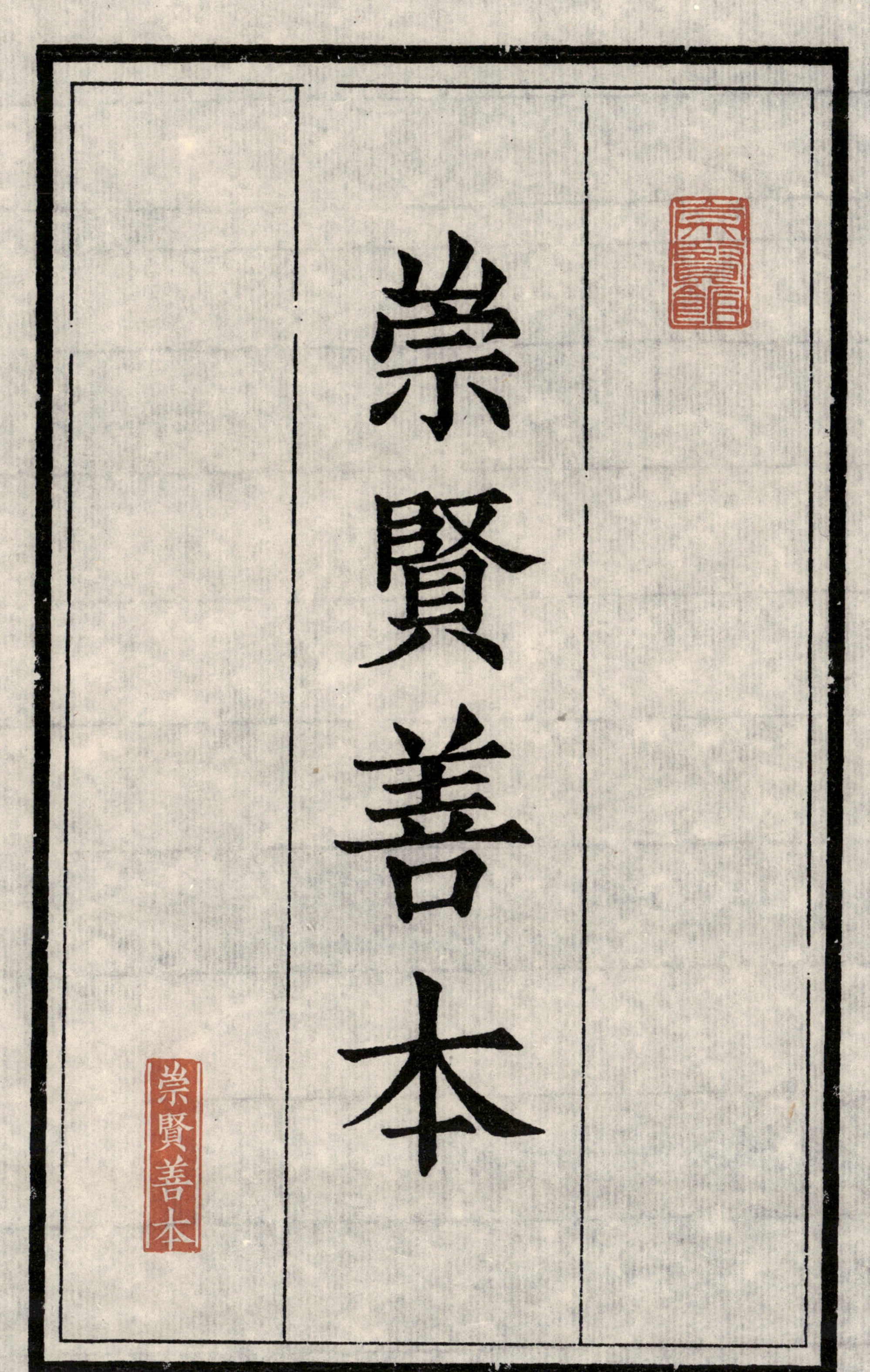

壬辰仲秋京師崇賢館刊

崇賢善本

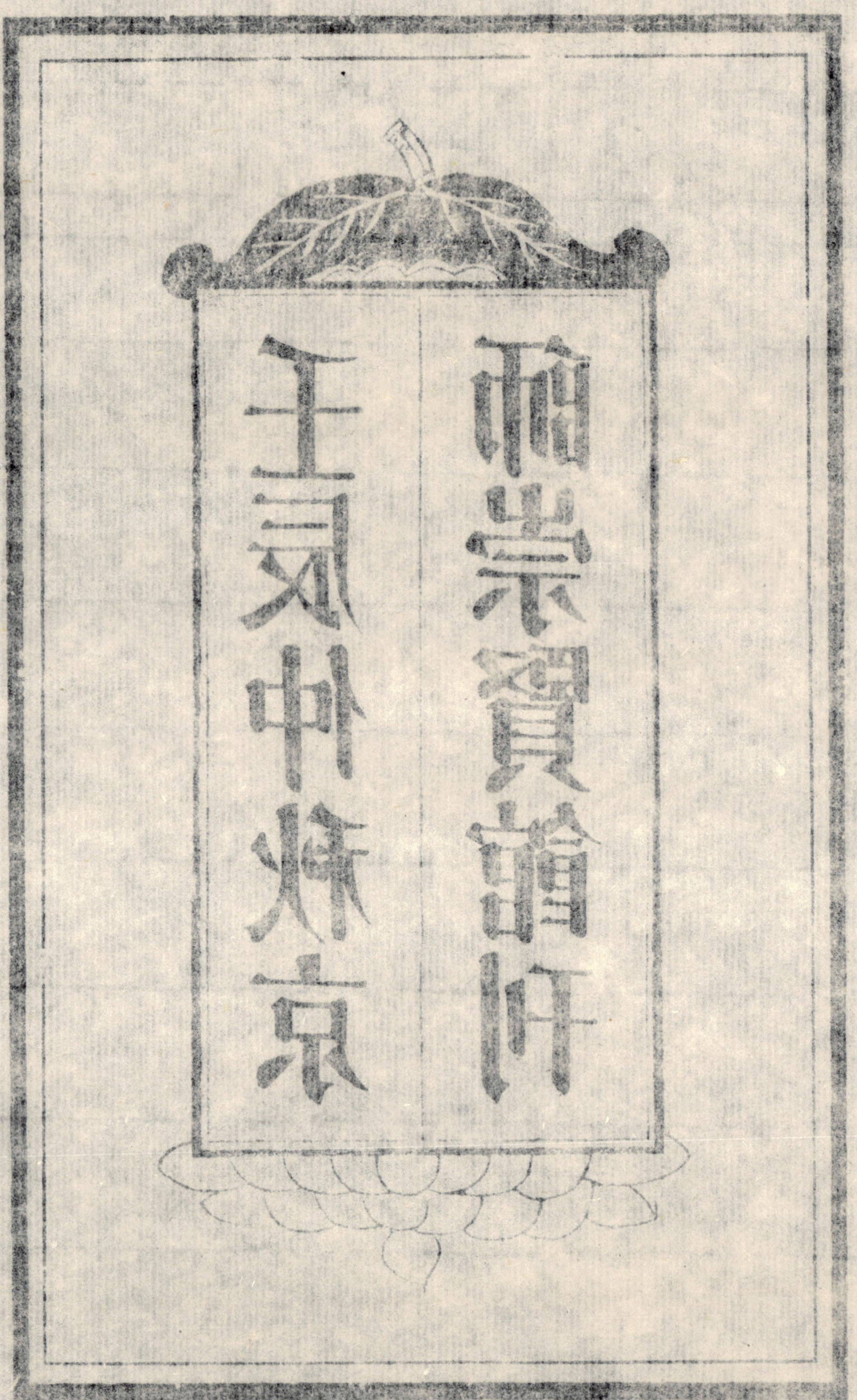

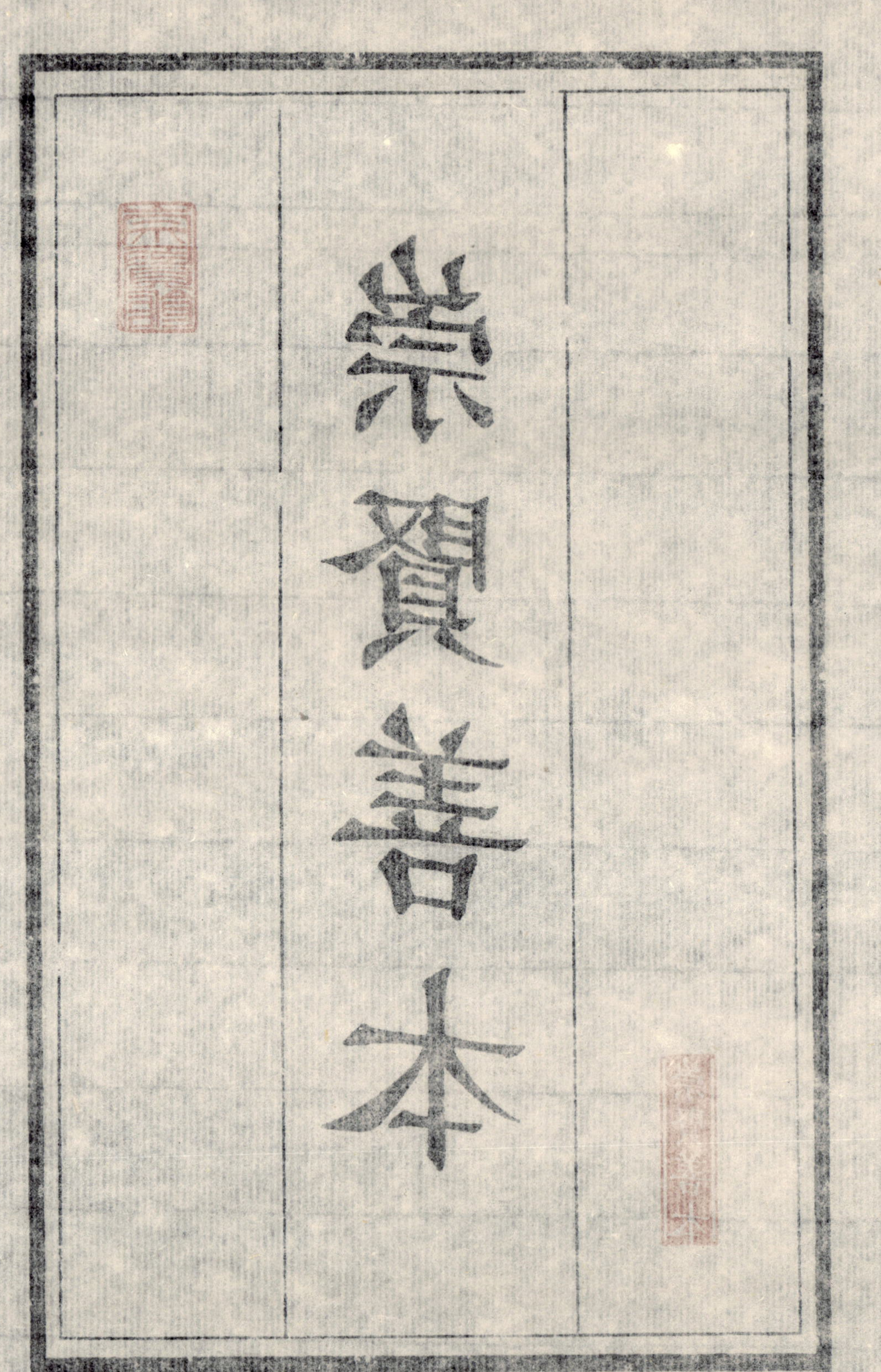

崇賢館記

太初混沌盤古開天辟地斗轉星移萬象其命維新炎黃先祖崛起東方篳路藍縷以啓山林華夏文明源出細水涓涓日夜不息匯爲浩浩江海上古有河圖洛書之說先民有結繩書契之作自夏商以降至於隋唐我先人以玉飾甲骨鐘鼎簡牘碑碣帛書刻錄文明歷程纘續堯舜禹湯文王周公孔子諸聖賢道統斯文郁郁盛世生焉

至唐貞觀間太宗爲繼往聖之學風厚生之化開太平之世始設崇賢館任學士校書郎各二人掌管經籍圖書並教授諸生光陰箭越千年二十世紀尾聲有諸同道矢志復立崇賢館旨於再造盛唐輝煌興廢繼絶金聲玉振集歷代之英華樹中天之華表以最中國之形式再現最中國之內容俾言簡義豐溫厚和平墨香紙潤之中國書卷文化福澤今日之世界復立伊始茫茫求索久立而有待來者漸至天下翕然而慕國學當是時幸得國學之師季羨林啓功馮其庸傅璇琮及著名文史學家毛佩琦任德

山余世存國藝方家王鏞林岫等諸先生擔當學術顧問肩荷指點迷津遙斷翼軫之重責。

先賢典籍流傳粲然可見。北宋一朝蔡倫高足安徽宣城孔丹創棉白佳紙宣紙因而得名中國造紙術隨後惠澤東西方文化傳播。宣紙典籍體輕而久壽逐漸引領版刻盛行。宋版之精嚴而高貴元版之景宋而厚重明版之繁盛而不齊清版之集古而爲新今崇賢館志承歷代版刻精髓精研歷代善本風貌礪成鑄鼎之作曰崇賢善本。其館刊典籍涵蓋經史子集四部精華並書畫真跡碑刻拓片及今人解經學人蹊徑可謂囊經天緯地之道攬修身齊家之學。堪爲現代收藏之冠冕極品亦爲今人重塑私德之權威善本。

崇賢善本皆循宋代工藝。選安徽涇縣有紙中黃金美譽之手工宣紙製作裝幀集材綾面絹簽沿襲古法雕版琢字均出名典莊重雅致古色生香考工記云天有時地有氣材有美工有巧斯乃術工與藝術俱臻高妙之境界書卷文化之真精神。洋裝書

雖彌漫當際、崇賢善本卻能卓爾不群。魯迅先生曾有比喻洋裝書拿在手裏像舉磚頭遠不如看綫裝書方便。中華先烈文稱風騷、武崇儒將、書卷之氣爲其獨有之美。然不讀綫裝古籍、難鑄高華之美。綫裝書卷在手或坐或臥思緒如泉、潺潺不斷。心性高貴至極、卻不顯一絲張揚。是故崇賢館十數年如一日、竭誠舉倡重構綫裝中國國學、進入生活。尋常百姓之家、當見縹囊飄香、廣廈重閣之府、更是卷盈緗帙。隨手展卷、有人倫之準式、傳世之華章、賢人之嘉言、生活之寶鑒、人人可漱六藝之芳潤、可浸高古之氣華。

崇賢館記

朝代依序更迭時光似川流逝。次第顧尋鼎食深院、閭閻人家、皆門書禮儀、傳家久、詩書繼世長。國學經典連綿千祀。然而形殊勢禁、古今不同、失之毫釐、謬以千里、時人熱捧國學、然忌入玄玄歧途、惟汲納百家之長、融鑄方以補天、勿忘戊戌維新之殤、是爲殷鑒。彙通儒家之禮樂規章、道家之取法自然、佛家之修心禪定、法家之以法治國、兵家之正合奇勝、加

之國藝、國史深研修行、方能據於德、依於仁、游於藝、經世致用、知行合一、退可以善道、進可以兼濟、高品生活人所共求、今人之所憂嘆、先哲業已冥思而開示。吾輩俯仰間、應崇聖賢者、欣欣然咏而歸之樂也。

展觀宇內、商潮必資乎文明、方能發五色之沃、釆惠億眾之福祉。古往今來、熙熙攘攘者、道統孰繼。崇賢館倡言新國學、新閱讀、新收藏、新體驗。同仁塑夢、終期。館內垂髫幼童、讀書琅琅、舞象少年、飛文染翰、窈窕淑女、繪綉撫琴、域內外大雅鴻儒、絕藝名家、群賢畢至、於斯爲盛、再拜天下之甘爲中國傳統文化推廣者、播仁普智、勵勇、可喜可嘉。漫漫長路、舉足爲始。崇賢館主李克敬敘宗旨。沐浴執筆、壬辰中秋記於京華。

古文觀止

冊一

〔清〕吴楚材 吴調侯 編著

北京聯合出版公司

古文觀止

册一

[清] 吳楚材 吳調侯 編著

北京聯合出版公司

前言

原本默默無聞的兩個讀書人，連詳細一點的生平我們也難以得知，却在身後留下了一部風靡于世的古文選本。這樣一部没有當時名家的推薦，更没有輿論的炒作，只憑借其獨特的魅力便贏得了三百多年來大量讀書人青睞的文集，就是《古文觀止》。就連巴金先生也曾有言：「我青年時代的散文創作，完全得益于我在少年時代對于二百篇《古文觀止》的背誦。」

《古文觀止》成書于康熙三十三年（一六九四年），編選者吴楚材（名乘權）、吴調侯（名大職）爲叔侄二人，生平不詳，只知道他們是浙江山陰（今紹興市）人。除本書外，吴楚材還采用朱熹《通鑒綱目》的體例，編寫了《綱鑒易知録》。

書名中「觀止」一詞源自書中所選的《左傳·季札觀周樂》中吴季札在魯國賞周樂時對《韶》舞的贊美：「德至矣哉！大矣！如天之無不幬也，如地之無不載也。雖甚盛德，其蔑以加于此矣。觀止矣！」

本書所選文章以散文爲主，兼選少量駢文，有宏篇巨論，也有精美短文，以其文章編選的全面、篇幅搭配的合理，成爲自問世至今普及最廣的初學古文選本，風行海内三百餘年。魯迅先生將《古文觀止》與《昭明文選》相提並論，評價道：「在文學上的影響，兩者都一樣的不可輕視。」

全書精選從西周至明代的傳世美文，由于散文選目占絶大多數，這爲清代以前的散文發展勾勒出一條簡單清晰的脉絡。選擇文章時，編選者在廣泛搜尋的同時又注意重點的突出，除元代以外，每個朝代都有許多作者和文章入選。在此基礎上，如《左傳》、《國語》、《戰國策》等著名典籍和司馬遷、韓愈、歐陽修、蘇軾等古文大家都有十篇以上文章入選。從而使讀者既能領略各時期文章的不同風格，又不錯過其他作者的閃光之作。

本書所選文章，不但兼顧各個時期、衆多作者，而且内容絢麗多彩。這裏有外交家的唇槍舌劍，縱横家的巧舌如簧；有帝王求賢問策的記述，臣子獻計進忠的疏表；有歡適愜意的宴飲，硝烟彌漫的戰場；有奢靡宏偉的宫室，落英繽紛的桃源……

在體例上，本書以時代爲經，作者爲緯對文章進行編排，查找快捷，閱讀方便。雖然這本

散文精選只有二百篇，却涵蓋了中國古典散文的簡明發展歷程、中華文明和傳統文化的傳承與精髓、歷代知識分子的生存狀況與思想狀態、文章寫作的方法與技巧等諸多方面。

在配圖方面，本書以中國古代的優秀版畫作爲插圖。所選插圖出處包括《孔子聖跡圖》、《帝鑒圖説》、《養政圖解》、《飛影閣》等大量古代刊刻資料。在這些資料中，我們嚴格按照配圖必須清晰、書中的文字與圖必須一一對應的原則，針對文章的某一句話或某一個詞來配圖片，使每一幅圖都成爲文章的有機組成部分，使讀者的閱讀變得直觀，從而能够更好地理解和把握文章的意義，做到以圖釋文。

爲了使讀者更好地理解文章的內容，領會古人的思想，我們在每一篇文章前都加上了題解，在正文後又對文中字、詞、句加以周詳的注釋。每篇的題解主要是介紹文章的背景、主要內容及由此引申出的啓發和感想，注釋則是對文中字詞含義及典故的解釋。由于所選文章大多是名家的經典傳世之作，裏面所含的信息量非常之大，因此注釋當中也含有豐富的知識點，不僅對理解文章有幫助，還會使讀者在閱讀時得到積累和啓示。

譯文對于今人閱讀古文是必不可少的。翻譯古文和翻譯外文有相似之處，我們在翻譯的過程中，在忠實地表達古人文章基本內容的基礎上，采取意譯與直譯相結合的方法，力争通過對歷史文化背景及古人情感、習俗的揣摩與體會，再現不同文章作者創作的風格與意境。古代讀書人在讀書時，會用朱筆在書中空白處書寫批注。爲此，我們在書中還收録了編選者吴楚材、吴調侯所作批注，讓今人了解古人的讀書氛圍；同時，也讓讀者了解編選者在選擇文章時的所見所想。

通過以上這些工作，我們呈獻在讀者面前的，是一本融會了題解、注釋、譯文、批注等衆多素材的《古文觀止》，我們希望書中所選的一篇篇千古傳頌的美文，能在今天的生活中依然體現出其無窮的藝術魅力與實用價值。

崇賢館

古文觀止目録

冊一

卷一 周文

卷二 周文

冊二

卷三 周文

古文觀止　目錄　二

卷三　周文

卷四 秦文

冊四

卷六 漢文

卷七 六朝唐文

冊五

卷八 唐文

卷十一 宋文

古文觀止　目錄　十

卷一 周文

《左傳》簡介

《左傳》是《春秋左氏傳》的簡稱，據說是孔子同時代人左丘明爲解釋孔子所作的魯史《春秋》而撰寫的。

歷來都把《左傳》和《春秋》按年編在一起，是因爲沿襲了「《左傳》釋經《春秋》」的傳統說法。近年來，越來越多的人認爲，這兩部書雖然記事的時間大體相當，但《左傳》並不像《公羊》、《穀梁》兩傳那樣緊緊地圍着《春秋》轉，而是有意識地試圖再現春秋至戰國初盛衰興亡的歷史。因此，它在叙事結構、叙事語言及叙事態度上都和《春秋》大不相同。由于它不再是客觀地單純記録，而是生動地再現歷史，所以它的叙事詳盡曲折；由于它滲透了主觀的歷史追憶而不是冷静的現場記録，所以它的語言充滿了想象力；它不僅是我國第一部成熟的編年史，也成爲一部傑出的叙事文學著作。

左丘明

鄭伯克段于鄢

隱公元年《左傳》

題解　此文是《左傳》的第一篇，通過記述春秋初期鄭莊公與其母親以及胞弟的政治鬥争，表現了鄭國統治階級内部的互相傾軋。文中刻畫了鄭莊公的善于權謀、其母姜氏的狠毒和其弟共叔段的貪婪愚蠢。最後莊公與母親在潁考叔的幫助下重歸于好，反映了古人對孝道的重視。

原文　初，鄭①武公娶于申，曰武姜②。生莊公及共叔段③。莊公寤生④，驚姜氏，故名曰寤生，遂惡之。愛共叔段，欲立之，亟⑤請于武公，公弗許。及莊公即位，爲之請制⑥。公曰：「制，巖邑也⑦，虢叔⑧

吳楚材、吳調侯：言生之難，絕而復蘇也。

古文觀止　卷一　周文　崇賢館藏書

鄭伯克段于鄢　　隱公元年《左傳》

初，鄭武公娶于申，曰武姜。生莊公及共叔段。莊公寤生，驚姜氏，故名曰寤生，遂惡之。愛共叔段，欲立之。亟請於武公，公弗許。

古人懷奇負奇，多為史官所記。

《左傳》簡介

《左傳》是《春秋左氏傳》的簡稱，又名《左氏春秋》，是配合《春秋》的編年體史書，相傳為春秋末年魯國史官左丘明所作。由于《左傳》《公羊傳》《穀梁傳》都是為解說《春秋》而作，所以又被稱為"春秋三傳"。

吳楚材、吳調侯：無使鄭國之民生他心也。子封又以夢中人。

魏禧：此篇寫姜氏好惡之昏僻，書段之貪痴……潁考叔之敏妙，情狀一一如見。

死焉，他邑唯命。」請京[9]，使居之，謂之京城大叔。

祭仲[10]曰：「都城過百雉[11]，國之害也。先王之制：大都，不過參國之一[12]，中，五之一，小，九之一。今京不度，非制也，君將不堪。」公曰：「姜氏欲之，焉辟害。」對曰：「姜氏何厭之有？不如早爲之所，無使滋蔓。蔓，難圖也。蔓草猶不可除，況君之寵弟乎？」公曰：「多行不義，必自斃，子姑待之。」

旣而大叔命西鄙、北鄙貳于己[13]。公子呂曰：「國不堪貳，君將若之何？欲與大叔，臣請事之；若弗與，則請除之，無生民心。」公曰：「无庸[14]，將自及。」

大叔又收貳以爲己邑，至于廩延[15]。子封曰：「可矣，厚[16]將得衆。」公曰：「不義不暱[17]，厚將崩。」

大叔完聚，繕甲兵，具卒乘[18]，將襲鄭。夫人將啓之。公聞其期，曰：「可矣！」命子封帥車二百乘以伐京。京叛大叔段，段入于鄢。公伐諸鄢。五月辛丑，大叔出奔共。

書曰：「鄭伯克段于鄢。」段不弟，故不言弟；如二君，故曰克；稱鄭伯，譏失教也；謂之鄭志。不言出奔，難之也。

遂置姜氏于城潁[19]，而誓之曰：「不及黃泉，無相見也！」旣而悔之。

潁考叔爲潁谷封人[20]，聞之，有獻于公。公賜之食，食捨肉。公問之，對曰：「小人有母，皆嘗小人之食矣，未嘗君之羹，請以遺之。」公曰：「爾有母遺，繄[21]我

潁考叔勸孝

潁考叔爲潁谷封人，聞之，有獻于公。公賜之食。食捨肉。公問之，對曰：「小人有母，皆嘗小人之食矣，未嘗君之羹，請以遺之。」

古文觀止　卷一　周文

崇賢館藏書

鄭伯克段于鄢

初，鄭武公娶于申，曰武姜。生莊公及共叔段。莊公寤生，驚姜氏，故名曰「寤生」，遂惡之。愛共叔段，欲立之，亟請於武公，公弗許。

及莊公即位，為之請制。公曰：「制，巖邑也，虢叔死焉，佗邑唯命。」請京，使居之，謂之京城大叔。祭仲曰：「都城過百雉，國之害也。先王之制，大都不過參國之一，中五之一，小九之一。今京不度，非制也，君將不堪。」公曰：「姜氏欲之，焉辟害？」對曰：「姜氏何厭之有？不如早為之所，無使滋蔓，蔓難圖也。蔓草猶不可除，況君之寵弟乎？」公曰：「多行不義必自斃，子姑待之。」

既而大叔命西鄙北鄙貳於己。公子呂曰：「國不堪貳，君將若之何？欲與大叔，臣請事之；若弗與，則請除之，無生民心。」公曰：「無庸，將自及。」大叔又收貳以為己邑，至于廩延。子封曰：「可矣，厚將得眾。」公曰：「不義不暱，厚將崩。」

大叔完聚，繕甲兵，具卒乘，將襲鄭，夫人將啟之。公聞其期，曰：「可矣！」命子封帥車二百乘以伐京。京叛大叔段，段入于鄢，公伐諸鄢。五月辛丑，大叔出奔共。

書曰：「鄭伯克段于鄢。」段不弟，故不言弟；如二君，故曰克；稱鄭伯，譏失教也，謂之鄭志。不言出奔，難之也。

吳楚材、吳調侯：鄭莊公欲殺弟，祭仲、子封諸臣，皆不得而知。姜氏欲之，焉辟害、必自斃、子姑待之、將自及、厚將崩等語，分明是逆料其必至于此。故雖婉言直諫，一切不聽。迨後乘時迅發，並及于母。是以兵機施于骨肉，真殘忍之尤。幸良心忽現，又被考叔一番救正，得母子如初。左氏以純孝贊考叔作結，寓慨殊深。

獨無！」潁考叔曰：「敢問何謂也？」公語之故，且告之悔。對曰：「君何患焉？若闕地及泉，隧而相見，其誰曰不然？」公從之。公入而賦：「大隧之中，其樂也融融。」姜出而賦：「大隧之外，其樂也泄泄㉒。」遂爲母子如初。

君子曰：「潁考叔，純孝也。愛其母，施㉓及莊公。《詩》曰：『孝子不匱，永錫㉔爾類。』其是之謂乎。」

注釋

①鄭：鄭國，姬姓，在今河南新鄭一帶。②武姜：「武」表示丈夫是武公，「姜」是她娘家的姓。③共叔段：共，國名，在今河南輝縣。段後來曾逃亡到這裏，故稱共叔。④寤生：逆生，難産。⑤亟：多次。⑥制：地名，一名虎牢，位于今河南鞏縣東。⑦巖邑：險要的城池。⑧虢叔：東虢國國君。⑨京：地名，在今河南滎陽東南。⑩祭仲：鄭大夫，字足。⑪雉：古代城墻長三丈、高一丈爲一雉。⑫參國之一：國家都城的三分之一規模。⑬鄙：邊境。貳于己：一方面歸附莊公，一方面歸附自己。貳，心屬二主。⑭庸：用。⑮廩延：鄭國地名，位于今河南延津北部。⑯厚：雄厚，這裏指增加，擴張。⑰暱：親近，這裏指親近兄長。⑱具：準備。乘：戰車。⑲城潁：地名，在今河南臨潁西北。⑳潁考叔：鄭大夫。潁谷：鄭邊邑名，在今河南登封西。封人：管理疆界的官。㉑繄：放在句首的語氣詞，無實在意義。㉒泄泄：快樂的樣子。㉓施：擴展。㉔錫：通「賜」，賜予。這兩句詩出自《詩經·大雅·既醉》。

孝德升聞

《詩》曰：「孝子不匱，永錫爾類。」舜就是以他的孝心感化了身邊的親人。

譯文

當初，鄭武公從申國娶了位妻子，叫武姜，生下莊公和共叔段。莊公出生的時候是難産，使武姜受到驚嚇，因此取名叫「寤生」，于是武姜很厭惡他。武姜疼愛共叔段，想立他爲世子，多次向武公請求，武公沒有答應。等到莊公即位，武姜就請求把制這個地方封給共叔段。莊公說：「制是個很險

要的地方，從前虢叔就死在那裏，如果是其他地方，就聽從您的吩咐。」武姜又請求封給京地，莊公就讓共叔段住在那裏，人們稱他「京城大叔」。

祭仲說：「城牆超過了一百雉，就會成爲國家的禍害。按照先王的規定：大城不能超過國都的三分之一，中等的不能超過五分之一，小的不能超過九分之一。現在，京的城牆違反了先王的制度，這樣會使您難以控制。」莊公說：「姜氏要這麼做，又怎能躲開禍害呢？」祭仲答道：「姜氏怎麼會滿足？不如早些做好安排，不讓他們的勢力滋長。等蔓延開，就很難對付了。蔓延開的野草都不能除淨，何況是您受寵的弟弟呢？」莊公說：「多做不仁義的事，定會自取滅亡，你且等等看吧。」

不久後，大叔命令鄭國西、北邊區的城在從屬于莊公時也從屬于自己。公子呂說：「國家不能有兩個君王，您打算怎麼辦？若您想把國家交給大叔，就允許我去侍奉他；若不給，就請除掉他，不要使百姓產生二心。」莊公說：「不用！他會自尋其禍。」

大叔又把原是兩屬的城邑收歸己有，一直擴張到廩延。子封說：「可以采取行動了，他勢力強大了，會得到更多人的擁護。」莊公說：「不行仁義，人們就不會親近他，勢力擴大，反而會崩潰。」

大叔加固城牆，修整兵器，訓練步兵和整頓戰車，將要偷襲鄭國的都地。武姜打算作爲內應打開城門。莊公聽說大叔偷襲的日期，說：「可以了！」命令子封率兵車二百乘去討伐京地。京地的人也背叛了大叔，大叔于是逃到鄢地。莊公又追擊征討鄢地。五月辛丑那天，大叔逃到共國。

書說：「鄭伯克段于鄢。」共叔段不遵守做弟弟的本分，所以不用「弟」字；兄弟倆互相征戰如同兩個國君，所以叫作「克」；稱莊公爲「鄭伯」，是譏諷他沒有很好地教育弟弟；這也是莊公的本意。不說大叔「出奔」，則是因爲難以下筆。

莊公把姜氏安置在城潁，並發誓說：「不到黃泉，就不再見面！」不久他又後悔這樣做。

潁考叔是在潁谷主管疆界的官，他聽說後，就去國都給莊公進獻物品。莊公請他吃飯時，他把肉留下。莊公問他，他說：「我有母親，我的食物她都吃過了，就是沒有吃過您所吃的。我想把肉帶回去孝敬她。」莊公說：「你有母親可以孝敬，而我卻沒有！」潁考叔說：「敢問您這是什麼意思？」莊公告訴他原因，並說自己很後悔。潁考叔答道：「您何必這樣憂慮呢？如果在地下挖到泉水，在隧道裏面相見，誰會說不對呢？」莊公按照他說的做了。莊公進入隧道，賦詩道：「在隧道裏，多麼歡樂

啊。」姜氏從地道中走出，唱道：「來到隧道外，多麼高興啊。」于是母子和好如初。

君子說：「潁考叔的孝，很純正。孝敬自己的母親，又影響了莊公。《詩經》說：『孝子的孝心不會枯竭，永遠感化身邊的人。』說的就是這種情況吧。」

> 吳楚材、吳調侯：通篇以「信」、「禮」二字作眼。

> 吳楚材、吳調侯：曰「交質」，曰「二國」，寓譏諷于不言之中矣。

周鄭交質

隱公三年《左傳》

題解 本文講述了周王室任用西虢公，使鄭公權力受到削弱而引起鄭國不滿。爲與鄭國和好，周王室和鄭國交換人質，但沒有取得好的效果，雙方依然互不信任。這件事說明祇有發自內心真誠待人，以禮來約束，才能互相信任。周鄭交質，也體現了當時周王室的衰微。

原文 鄭武公、莊公爲平王卿士①。王貳于虢②，鄭伯怨王。王曰：「無之。」故周、鄭交質。王子狐爲質于鄭，鄭公子忽爲質于周。王崩，周人將畀③虢公政。四月，鄭祭足帥師取溫之麥④；秋，又取成周⑤之禾。周鄭交惡。

君子曰：「信不由中，質無益也。明恕而行，要之以禮，雖無有質，誰能間之？苟有明信，澗溪沼沚⑥之毛，蘋蘩薀藻之菜⑦，筐筥錡釜之器⑧，潢汙行潦之水⑨，可薦于鬼神，可羞于王公。而況君子結二國之信，行之以禮，又焉用質？《風》有《采蘩》、《采蘋》，《雅》有《行葦》、《泂酌》，昭忠信也。」

注釋 ①卿士：指執政大臣。②虢：指西虢公。③畀：授予，托付。④祭足：祭仲，鄭大夫。溫：周地名，在今河南溫縣西南。⑤成周：周地名，在今河南洛陽東北。⑥沚：水中小塊陸地。⑦蘋：浮萍。蘩：白蒿。薀藻：一種聚生的藻類。⑧筐筥：竹制容器，方形稱筐，圓形稱筥。錡釜：烹飪器，有足叫錡，無足叫釜。⑨潢汙：不流動的積水。行潦：路邊的積水。

譯文 鄭武公、莊公擔任周平王的執政大臣。平王又任用了虢公，鄭莊公怨恨周平王。周平王說：「沒有的事。」于是周王朝和鄭國交換人質。平王之子狐在鄭國做人質，鄭莊公的兒子忽到周王室做人質。周平王死後，周王室準備讓虢公掌政。四月，鄭國的祭足領兵收割了溫邑的麥子；秋天，又

吳楚材、吳調侯：寵字，乃此篇始終關鍵。自古寵子未有不驕，驕子未有不敗。

其子厚，與州吁遊。禁之不可。桓公立，乃老。

注釋 ①衛：衛國，姬姓，在今河南淇縣一帶。齊：國名，姜姓，在今山東北部、中部地區。東宮：太子的居所，這裏指太子。②《碩人》：《詩經·衛風》中的一篇。③娣：妹妹。④嬖人：指地位低下而受寵的婢妾。⑤石碏：衛大夫。⑥眕：忍耐而不輕舉妄動。

遇物教儲

唐太宗很重視對太子的教導，見其飯則曰：「汝知稼穡之艱難，則常有斯飯矣。」見其乘馬則曰：「汝知其勞而不竭其力，則常得乘之矣。」見其乘舟則曰：「水所以載舟，亦所以覆舟。民猶水也，君猶舟也。」見其息于木下，則曰：「木從繩則正，後從諫則聖。」

譯文 衛莊公娶了齊國太子得臣的妹妹，叫莊姜，很美麗，但沒有兒子。衛國人爲她做了一篇名爲《碩人》的詩。莊公又從陳國娶了一個妻子，名厲媯，生了兒子孝伯，早死。她的妹妹戴媯生了桓公，莊姜就把他認作自己的兒子。公子州吁，是莊公愛妾所生，受莊公的寵愛，喜歡玩弄武器，莊公不禁止，莊姜很厭惡他。

石碏規勸莊公說：「我聽說，愛自己的兒子，就要教他法度，不讓他走到邪路上去。驕傲、奢侈、淫蕩、逸樂，就是走向邪路的開端。這四種缺點的產生，是過于寵愛的緣故。您如果要立州吁做太子，就定下來；若還沒有這樣的打算，就會引導他釀成禍害。受寵愛而不驕傲，驕傲了而能受壓制，下降而不怨恨，有怨恨而能克制自己的人，是很少的。再說卑賤妨害高貴，年少欺負年長，疏遠離間親近，新的壓制舊的，地位低的欺侮地位高的，淫亂破壞禮義，這是人們常說的六種違反禮義的事。君主行事合理，臣子服從命令，父親慈愛，兒子孝順，哥哥愛護弟弟，弟弟敬重哥哥，這是人們常說的六種順乎禮義的事。離開順禮的事去做逆禮的事，就會招來禍害。君主一定要消除禍患，現在卻反而促使禍害的到來，這樣是不可以的吧！」莊公不聽。

石碏之子石厚和州吁交往，石碏禁止。石厚不聽。桓公即位，石碏告老還鄉。

臧僖伯諫觀魚 隱公五年《左傳》

題解 臧僖伯認爲，作爲國君，一舉一動都是國家大事，所以應依禮而行，從而極

力勸阻魯隱公去「觀魚」。但魯隱公没有聽從，于是臧僖伯没有跟隨魯隱公同去觀魚。這反映了當時的「禮」制思想，從中也可看出古時候等級的森嚴。

吴楚材、吴調侯：此言人君之道，以軍國祀戎爲重，以遊觀宴樂爲輕。

原文

春①，公將如棠②觀魚者。臧僖伯③諫曰：「凡物不足以講大事④，其材⑤不足以備器用⑥，則君不舉焉。君將納民于軌物⑦者也。故講事以度軌量，謂之軌；取材以章物采，謂之物。不軌不物，謂之亂政。亂政亟行，所以敗也。故春蒐⑧、夏苗、秋獮、冬狩，皆于農隙以講事也。三年而治兵⑨，入而振旅，歸而飲至⑩，以數軍實⑪。昭文章⑫，明貴賤，辨等列，順少長，習威儀也。鳥獸之肉不登于俎⑬，皮革、齒牙、骨角、毛羽不登于器，則君不射，古之制也。若夫山林、川澤之實，器用之資，皂隸⑭之事，官司之守，非君所及也。」公曰：「吾將略地焉。」遂往。陳魚而觀之。僖伯稱疾不從。

書曰：「公矢⑮魚于棠。」非禮也，且言遠地也。

吴楚材、吴調侯：非禮便是亂政。

畋失位

國君不應把精力放在遊樂上。夏朝的太康就是因爲喜好打獵，荒廢政事，被后羿驅逐，失掉王位。

注釋

①春：指魯隱公五年（前七一八年）春季。②棠：也作唐，邑名，在今山東魚臺。③臧僖伯：魯公子姬彄，封于臧，謚號爲僖。④講：講習。大事：指祭祀和軍事等國家大事。⑤材：材料，這裏指下文所説的皮革、齒牙、骨角羽毛之類的東西。⑥器用：指軍事上所用的物資。⑦軌物：法度和禮法的規定。⑧蒐：搜尋獵取没有懷孕的禽獸。與後面的苗、獮、狩分别爲春夏秋冬四季狩獵的稱謂。⑨治兵：與後文所説的「振旅」都是整治隊伍的意思，是古代一種軍事演習活動。外出時稱爲治兵，歸來稱爲振旅。⑩飲至：是諸侯朝拜、會盟、征伐完畢，在宗廟飲酒慶賀的一種典禮儀式。⑪軍實：這裏指軍隊中的輜重和從敵人手中得到的戰利品。⑫文章：這裏指不同的車

臧僖伯諫觀魚

春①，公將如棠觀魚者。臧僖伯②諫曰：「凡物不足以講大事③，其材不足以備器用④，則君不舉焉。君，將納民於軌物⑤者也。故講事以度軌量⑥謂之軌，取材以章物采⑦謂之物。不軌不物，謂之亂政⑧。亂政亟行⑨，所以敗也。故春蒐、夏苗、秋獮、冬狩⑩，皆於農隙以講事也。三年而治兵⑪，入而振旅，歸而飲至，以數軍實⑫。昭文章，明貴賤，辨等列，順少長，習威儀也。鳥獸之肉不登於俎⑬，皮革、齒牙、骨角、毛羽不登於器，則公不射，古之制也。若夫山林川澤之實，器用之資，皂隸之事，官司之守，非君所及也。」公曰：「吾將略地焉⑭。」遂往，陳魚而觀之。僖伯稱疾不從。書曰：「公矢魚于棠。」非禮也，且言遠地也。

服旌旗。⑬登：裝入。俎：盛祭品的禮器。⑭皂隸：古代對賤役的稱呼，這裏泛指地位低下的人。⑮矢：通「施」，陳設。

譯文 春天，魯隱公打算去棠地觀看捕魚。臧僖伯勸阻道：「一切東西，與祭禮戰爭無關，它的材料不能夠用來做器用，那麼，國君就應不去理會它。國君所要做的是引導百姓走向正軌和實用。所以演習大事來衡量器物是否合于法度就叫作正軌；擇取材料來顯示物的文采就叫作實用。不軌不物，就是亂政。亂政屢行，國家就會衰敗。因此春夏秋冬帶有演習武事的田獵活動，都在農閑時進行。每三年，還要出兵演習，進城檢驗軍隊。整隊歸來，到宗廟祭祖宴飲，計算軍用器械和所獵獲的禽獸。這是爲了顯示車服旌旗的文采，表明貴賤等級，分別等第行列，依少長次序前進或後撤，演習上下有別的威儀啊。鳥獸的肉，不能放入祭器，皮革、齒牙、骨角、毛羽，不能做禮器，國君就不必親自射獵。這是古時的制度啊。至于山林河湖的物產，普通器具的材料，那是下級人員的事，臣下的職責，不是國君所應參與的。」隱公說：「我要巡視邊境。」于是去了，在那裏陳設出各種捕魚的設備觀看。僖伯托病沒有同往。史書上說：「隱公陳設漁具在棠。」認爲這種做法不合禮，並且說明棠是遠離國都的地方。

鄭莊公戒飭守臣

隱公十一年《左傳》

題解 本篇反映了春秋時期諸侯國之間常互相攻打、以强凌弱的現象。前七一二年，魯、齊、鄭聯合攻打許國，在攻下許國後，鄭莊公能够正確估計形勢，按照本國的長遠利益處理這件事，並獲得了「知禮」的評價。

原文 秋七月，公會齊侯、鄭伯伐許①。庚辰②，傅于許。潁考叔取鄭伯之旗蝥弧③以先登。子都④自下射之，顛。瑕叔盈⑤又以蝥弧登，周麾而呼曰：「君登矣！」鄭師畢登。壬午⑥，遂入許。許莊公奔衛⑦。齊侯以許讓公。公曰：「君謂許不共，故從君討之。許既伏其罪矣，雖君有命，寡人弗敢與聞。」乃與鄭人。

鄭伯使許大夫百里奉許叔以居許東偏，曰：「天禍許國，鬼神實不逞于許君，而假手于我寡人。寡人唯是一二父兄不能共億⑧，其敢以許自爲功乎？寡人有弟，不能和協，而使糊其口于四方，其況能久

吴楚材、吴調侯：己弟叔段何在，而愛及他人之弟。特借此布置一番，是奸雄手段。

吳楚材、吳調侯：三十三字作一氣讀。就有害于鄭處，推出一層。

有許乎？吾子其奉許叔以撫柔此民也。吾將使獲⑨也佐吾子。若寡人得沒于地，天其以禮悔禍于許，無寧茲許公復奉其社稷，惟我鄭國之有請謁焉，如舊昏媾，其能降以相從也。無滋他族實逼處此，以與我鄭國爭此土也。吾子孫其覆亡之不暇，而況能禋祀⑩許乎？寡人使吾子處此，不惟許國之為，亦聊以固吾圉⑪也。」乃使公孫獲處許西偏，曰：「凡而器用財賄，無置于許。我死，乃亟去之！吾先君新邑于此，王室而既卑矣，周之子孫日失其序。夫許，大岳之胤⑫也。天而既厭周德矣，吾其能與許爭乎？」

君子謂：「鄭莊公于是乎有禮。禮，經國家，定社稷，序人民，利後嗣者也。許無刑而伐之，服而捨之，度德而處之，量力而行之，相時而動，無累後人，可謂知禮矣。」

注釋

①公：指魯隱公。許：國名，姜姓，在今河南許昌一帶。②庚辰：七月一日。③蝥弧：一種旗幟的名稱。④子都：鄭大夫。據史書記載，鄭師出發前，子都與潁考叔曾發生過糾紛。⑤瑕叔盈：鄭大夫。⑥壬午：七月三日。⑦衛：國名，姬姓，在今河南淇縣一帶。⑧共億：相安。⑨獲：鄭大夫公孫獲。⑩祀：祭天神之禮。⑪圉：邊境。⑫大岳：傳說堯舜時的四方部落首領。胤：後嗣。

戒飭守臣

鄭莊公讓許國大夫百里侍奉許莊公的弟弟住在許城的東部。

譯文

秋七月，魯隱公會合齊僖公、鄭莊公攻許國。七月一日，進攻許城。潁考叔舉着鄭國的蝥弧旗先往城牆上爬。大夫子都從下面射他，潁考叔跌了下來。瑕叔盈又舉起蝥弧登城，揮舞旗幟大喊道：「君王登上城啦！」鄭國的軍隊全部登上城牆。七月三日，鄭莊公攻入許國。許莊公逃到衛國。齊侯把許國讓給魯隱公。隱公說：「您說許國不守法，所以跟隨您

討伐它。既然已經討伐了許國的罪過，雖然您有命令，我也不敢聽從。」于是把許國送給了鄭莊公。

鄭莊公讓許國大夫百里侍奉許莊公的弟弟住在許城的東部，說：「上天降禍許國，鬼神實在是對許國的國君不滿，借我的手懲罰他。衹是我連自己的兄弟都不能相安，哪裏還敢占有許國作爲自己的功勞呢？我有個弟弟，不能很好地相處，還讓他到處流浪，難道能長久占有許國嗎？您侍奉許叔安撫這裏的百姓。我派公孫獲來幫助您。若我能善終，上天也許會依照禮而悔于降禍給許國，就會讓許莊公再來治理他的國家社稷，我鄭國如有所求，就像同族的親戚一樣，願你們能迂尊降貴和我們來往啊。不讓其他國家覬覦這裏，來和我鄭國爭這地方。我的子孫自己的存亡都顧不過來，何況許國的國家大事呢？我讓您在這裏，不僅是爲許國着想，也借以鞏固我的邊境啊。」于是派公孫獲駐扎在許國西部，說：「凡是你的器物錢財，不要放在許城。我死了，就馬上離開這裏！我先父是新近在這裏得到封地，周王室已經衰微了，周朝的子孫，日漸失去他們的地位。許國，是四岳的後代啊。上天已經厭倦周朝的德行了，我怎麽還能和許國爭呢？」

君子說：「鄭莊公在這件事上是遵守禮制的。禮制是治理國家、安定神靈、馴服百姓、利于後代

的事啊。許國無法度而討伐它，服了罪就赦免它，按照自己的德操處置它，衡量自己的實力去安置它，看準時機而後行動，不連累後代，可以説懂得禮啊。」

臧哀伯諫納郜鼎

桓公二年《左傳》

題解　這篇文章講的是臧哀伯向魯桓公進諫的事。桓公要將宋國賄于魯國的大鼎放于太廟中，而臧哀伯認爲此鼎是早年宋國滅郜時的戰利品，放在大殿中是有違禮制的。他認爲君主應該昭示美德，阻止邪惡，並且處處以身作則。他還闡釋了建立禮儀制度的目的，再次論證了桓公將大鼎放入太廟中是不仁之舉。

原文　夏四月[1]，取郜[2]大鼎于宋。納于大廟[3]，非禮也。

臧哀伯[4]諫曰：「君人者，將昭德塞違[5]，以臨照百官，猶懼或失[6]之，故昭令[7]德以示子孫。是以清廟[8]茅屋，大路越席[9]，大羹不致[10]，粢食不鑿[11]，昭其儉也。衮冕黻珽[12]，帶裳幅舄[13]，衡紞紘綖[14]，昭其度也。藻率鞞鞛[15]，鞶厲遊纓[16]，昭其數也。火龍黼黻[17]，昭其文

也。五色比象，昭其物也。錫鸞⑱和鈴，昭其聲也。三辰旂旗，昭其明也。夫德，儉而有度，登降有數，文物以紀之，聲明以發之，以臨照百官，百官于是乎戒懼而不敢易紀律。今滅德立違，而寘⑲其賂器于大廟，以明示百官。百官象之，其又何誅焉？國家之敗，由官邪也。官之失德，寵賂章也。郜鼎在廟，章孰甚焉！武王克商，遷九鼎于雒邑，義士猶或非之，而况將昭違亂之賂器于大廟，其若之何！」公不聽。

周內史聞之，曰：「臧孫達⑳其有後于魯乎！君違，不忘諫之以德。」

注釋

①夏四月：指魯桓公二年（前七一〇年）夏季四月。②郜：春秋時期的一個諸侯國，位于今山東成武東南一帶。③大廟：太廟。大，通「太」。④臧哀伯：魯國大夫，又名臧孫達，是臧僖伯的兒子。⑤塞違：防止錯誤的發生。塞，堵塞、防止。違，邪惡、錯誤。⑥失：違失。⑦令：美，美好。⑧清廟：古代祭祀祖先的地方。⑨大路越席：天子祭祀時所用的車都要鋪上蒲草編成的席子。大路，古代天子祭祀時所用的車。路，通「輅」。越，通「括」，結、束。⑩大羹不致：肉汁不用調料加以調拌。⑪粢食不鑿：粢食，用于祭祀的各種穀物。鑿，把粗米舂成精米。⑫衮冕黻珽：衮，古代官員的禮服；冕，帽子；黻，蔽膝；珽，古代大臣上朝時拿在手中用來記事的笏板。⑬幅舄：幅，用來綁腿的布。舄，古代一種不怕濕、不怕水的鞋，有兩層底。⑭衡紞紘綖：衡，古人戴冠冕時在髮髻上插着的橫簪。紞，帽帶。紘：帽上的垂物，綁在下巴上的帶子。綖，古人帽子上的一種裝飾物。⑮藻率鞞鞛：率，玉墊，用木頭制成，外面包着熟皮，繪有水藻的圖形。鞞，刀、劍的套。鞛，刀鞘、劍鞘上的飾物。⑯鞶厲遊纓：鞶，束腰的皮帶以及皮帶下垂的部分。遊，通「旒」，旌旗、儀仗馬胸前下垂的飾物。⑰火龍黼黻：火龍，古代官員禮服上面的火焰和龍形圖案。黼黻，古代官員所穿禮服上面綉着的花紋，黑白相間的稱爲黼，黑青相間的稱爲黻。⑱錫鸞：錫，馬額上佩戴的金屬鈴鐺，是一種飾物。鸞，馬嚼子上的鈴鐺。⑲寘：通「置」。⑳臧孫達：臧哀伯又名臧孫達。

譯文

魯桓公二年夏天四月，桓公從宋國拿到了郜國的傳國大鼎。把它放進了本國的太廟，這是

違背禮儀的大事。

于是，臧哀伯向桓公進諫道：「作爲君主，應該發揚傳統美德，阻塞違背禮儀的行爲，以此來做百官的榜樣，即使是這樣，也還怕有不周到的地方，所以還需要昭示各種美德來傳示給子孫後代。因此，宗廟的屋頂是用茅草做成的，祭祀時乘坐的大車用薄草席做墊子，肉汁不用調料加以調拌，主食是沒有舂過的粗米，這樣做是爲了表明節儉。祭祀的禮服、禮冠，皮做的蔽膝、玉制的朝板，腰帶、裙子、綁腿、靴子、横簪、塡繩、冠帶、冠頂的蓋板，都是用來表明尊卑等級制度的。皮做的玉器的墊子、刀鞘上的裝飾、束衣的布帶、下垂的穗子、旌旗的飄帶、馬頸上的絲繩，這也是用來表明尊卑等級的禮數的。禮服上綉的火、龍、斧、弓，這些東西是用來顯示貴賤的。用五色象徵比擬天地四方的各種圖像，是爲了表現器物物色的差別。用馬鈴、大小車鈴、旗鈴等鸞鈴來點綴車馬旗幟，是爲了顯示聲音節奏。將日、月、星辰畫于旗幟上，是爲了昭示光明。所謂美德，就是節儉而有法度，上下尊卑有等級禮數，用紋彩和器物加以記錄，用聲音和光亮加以顯示，把這些擺在百官面前，爲百官樹立榜樣，百官才能感到警醒和畏懼，而不敢違背綱紀、法律。現在擯棄美德，樹立違背禮儀的壞榜樣，

把別的國家賄賂的器物安放在太廟裏，以此來明明白白地昭示百官。如果百官都跟着這樣做，您又有什麼理由去責備他們呢？國家的衰敗，是由于官吏走邪道造成的。官吏喪失美好的德行，則是由于自恃受寵而明目張膽地收受賄賂造成的。如今，郜鼎放在國家的太廟裏，還有什麼賄賂行爲比這種做法更顯眼的！武王打敗了殷商，將九鼎遷到洛陽，當時的義士尚且不同意他的做法，况且把明顯的表示違背道德禮儀、反叛動亂的賄賂器物放在太廟的大殿之上，這怎麼能行得通呢！」桓公不聽從他的勸諫。

周王室的内史聽說了這件事，感慨道：「臧孫達在魯國一定會後繼有人吧！國君違背了禮儀制度，他卻沒有忘記用昭德塞違的道理對他加以勸諫。」

季梁諫追楚師　桓公六年《左傳》

題解　本篇中季梁的觀點反映了民是主體、神是附屬的春秋時代對于民和神的關係的一種進步主張。所以好的君主必須首先做好于民有利的事，然後再去祭祀神祇，祇有這樣，弱小國家才能在與大國的抗衡中生存。他的勸説使「隨侯懼而修政」。

原文

楚武王侵隨①，使薳章②求成焉，軍于瑕③以待之。隨人使少師董④成。

吳楚材、吳調侯：言不得志于漢東，是我失策使然。

鬬伯比⑤言于楚子曰：「吾不得志于漢東也，我則使然。我張吾三軍，而被吾甲兵，以武臨之，彼則懼而協以謀我，故難間也。漢東之國，隨爲大。隨張，必棄小國。小國離，楚之利也。少師侈，請羸師以張之。」熊率且比⑥曰：「季梁⑦在，何益？」鬬伯比曰：「以爲後圖，少師得其君。」

王毀軍而納少師。少師歸，請追楚師。隨侯將許之。季梁止之曰：「天方授楚。楚之羸，其誘我也，君何急焉？臣聞小之能敵大也，小道大淫。所謂道，忠于民而信于神也。上思利民，忠也；祝史⑧正辭，信也。今民餒而君逞欲，祝史矯舉以祭，臣不知其可也。」公曰：「吾牲牷肥腯⑨，粢盛豐備，何則不信？」對曰：「夫民，神之主也。

吳楚材、吳調侯：起手將忠民信神並提，轉到民爲神主。先民後神，乃千古不易之論。

是以聖王先成民，而後致力于神。故奉牲以告曰『博碩肥腯』，謂民力之普存也，謂其畜之碩大蕃滋也，謂其不疾瘯蠡⑩也，謂其備腯咸有也。奉盛以告曰『潔粢豐盛』，謂其三時不害而民和年豐也。奉酒醴以告曰『嘉栗旨酒』，謂其上下皆有嘉德而無違心也。所謂馨香，無讒慝也。故務其三時，修其五教⑪，親其九族，以致其禋祀。于是乎民和而神降之福，故動則有成。今民各有心，而鬼神乏主，君雖獨豐，其何福之有？君姑修政而親兄弟之國，庶免于難。」

隨侯懼而修政，楚不敢伐。

注釋

①隨：國名，姬姓，在今湖北隨縣。②薳章：楚大夫。③瑕：隨國地名。④董：主持。⑤鬬伯比：楚大夫。⑥熊率且比：楚大夫。⑦季梁：隨國賢臣。⑧祝：掌祭禮的官。史：掌祭禮時記事的官。⑨牷：毛色純一的牲畜。腯：肥壯。⑩瘯蠡：疥癬。⑪五教：指父義、母慈、兄友、弟恭、子孝五種倫理規範。

師進，次于陘⑨。

夏，楚子使屈完⑩如師。師退，次于召陵⑪。

齊侯陳諸侯之師，與屈完乘而觀之。齊侯曰：「豈不穀⑫是爲？先君之好是繼，與不穀同好，何如？」對曰：「君惠徼福于敝邑之社稷，辱收寡君，寡君之願也。」齊侯曰：「以此衆戰，誰能禦之？以此攻城，何城不克？」對曰：「君若以德綏諸侯，誰敢不服？君若以力，楚國方城⑬以爲城，漢水以爲池，雖衆，無所用之！」

屈完及諸侯盟。

浪急舟傾

相傳昭王南巡，渡漢水船壞而溺死。

吳楚材、吳調侯：此處一番和緩，後復一番恐喝，霸術往往如是。

注釋　①蔡：國名，在今河南新蔡一帶。②管仲：名夷吾，字仲。曾輔政于齊桓公。③召康公：周文王庶子姬奭，封于召，謚康。太公：太公呂望，齊始祖。④穆陵：齊地，在今山東臨朐南的穆陵關。⑤無棣：齊地，在今山東無棣一帶。⑥包茅：成捆的菁茅。⑦縮酒：祭祀時，將酒澆在束立的菁茅上，表示神在飲酒。也用它濾掉酒滓。⑧昭王：周昭王。相傳昭王南巡，渡漢水時，船壞而溺死。⑨陘：山名，在今河南郾城東南。⑩屈完：楚大夫。⑪召陵：楚地名，在今河南郾城。⑫不穀：諸侯謙稱。⑬方城：楚地山名，在今河南。

譯文　春天，齊桓公統率諸侯的軍隊攻打蔡國，蔡國的軍隊潰敗了，于是又進攻楚國。楚王派使臣對齊桓公說：「您住在北海，我住在南海，就算牛馬走失，也不會跑到對方境內。想不到您卻來到我的土地上，這是爲什麼呢？」管仲答道：「從前召康公曾命令我先君太公說：『五等諸侯，九州島伯長，你都可以征討，以便輔佐周王室。』他還給我先君指定了管轄的範圍：東到大海，西到黃河，南到穆陵，北到無棣。你們應該貢獻的包茅卻不送來，使周王缺少祭祀的用品，沒有濾酒的東西。因此我來向你們問罪；昭王南巡而未能返回，這是我要責問你的。」楚使回答說：「貢品沒能按時進獻，這

齊桓公伐楚盟屈完

四年春，齊侯以諸侯之師侵蔡，蔡潰，遂伐楚。楚子使與師言曰：「君處北海，寡人處南海，唯是風馬牛不相及也，不虞君之涉吾地也，何故？」管仲對曰：「昔召康公命我先君太公曰：『五侯九伯，女實征之，以夾輔周室。』賜我先君履，東至于海，西至于河，南至于穆陵，北至于無棣。爾貢包茅不入，王祭不共，無以縮酒，寡人是徵；昭王南征而不復，寡人是問。」對曰：「貢之不入，寡君之罪也，敢不共給？昭王之不復，君其問諸水濱！」師進，次于陘。

夏，楚子使屈完如師。師退，次于召陵。

齊侯陳諸侯之師，與屈完乘而觀之。齊侯曰：「豈不穀是為？先君之好是繼。與不穀同好，如何？」對曰：「君惠徼福於敝邑之社稷，辱收寡君，寡君之願也。」齊侯曰：「以此眾戰，誰能禦之？以此攻城，何城不克？」對曰：「君若以德綏諸侯，誰敢不服？君若以力，楚國方城以為城，漢水以為池，雖眾，無所用之！」屈完及諸侯盟。

【註釋】①蔡：國名。　②不穀：古代諸侯自稱。　③國……　④山……　⑤無棣……

是我們國君的罪過，怎麼敢不供應呢？昭王南巡沒有返回，請你去問水邊的人吧！」

齊國的軍隊繼續前進，駐扎在陘邑。

夏天，楚王派屈完到諸侯營地。諸侯軍後撤，駐扎在召陵。

齊桓公命令諸侯的軍隊擺成陣勢，然後讓屈完和他乘一輛車觀看。齊桓公對屈完說：「這難道是爲了我自己嗎？這是爲了繼承我們先祖建立的友好關係，跟我們和好如何？」屈完回答說：「承蒙您的恩惠，有勞您安撫寡君，這是寡君真誠的願望。」齊桓公又說：「我用這麼多的軍隊來戰鬥，誰能抵擋得住？我用這麼多的軍隊去攻城，哪一座城不能攻克？」屈完回答說：「你若用恩德來安撫諸侯，誰敢不服？你若想依仗武力，我們楚國有方城山作爲城牆，有漢水作爲護城河，您的軍隊雖然衆多，也是沒有用的！」

屈完和諸侯訂立了盟約。

宮之奇諫假道　僖公五年《左傳》

題解　晉國在前六五五年曾向虞國借道伐虢，三年後又向虞國借道，宮之奇識破晉國計策，勸阻虞公，指出保護鄰國不受侵犯的同時也是爲了保護自己不受侵犯，即「輔車相依，唇亡齒寒」的道理，但是虞公不聽，招致亡國之禍。

智荀息假途滅虢

吳楚材、吳調侯：事急故陡作險語。通篇着眼在此。

原文　晉侯復假道于虞以伐虢①。宮之奇②諫曰：「虢，虞之表也。虢亡，虞必從之。晉不可啓，寇不可玩。一之謂甚，其可再乎？諺所謂『輔車相依，唇亡齒寒』者，其虞、虢之謂也。」

公曰：「晉，吾宗也，豈害我哉？」

對曰：「大伯、虞仲，大王之昭③也。大伯不從，是以不嗣。虢仲、虢叔，王季之穆也，爲文王卿士，勳在王室，藏于盟府④。將虢是滅，何愛于虞？且虞能親于桓、莊

吳楚材、吳調侯：至親而以寵勢相逼，猶尚殺害之。況虞有一國之利，獻公肯相容乎。

乎？其愛之也。桓、莊之族何罪？而以爲戮，不唯逼乎？親以寵逼，猶尚害之，況以國乎？」

公曰：「吾享祀豐潔，神必據我。」

對曰：「臣聞之，鬼神非人實親，惟德是依。故《周書》曰：『皇天無親，惟德是輔。』又曰：『黍稷非馨，明德惟馨。』又曰：『民不易物，惟德繄物。』如是，則非德，民不和，神不享矣。神所馮依，將在德矣。若晉取虞，而明德以薦馨香，神其吐之乎？」

弗聽，許晉使。宮之奇以其族行，

泰伯

泰伯，吳國第一代君主。商末周部落首領古公亶父（即周太王）長子。太王欲傳位季歷，太伯于是讓位給三弟季歷，出逃至荊蠻，號勾吳。

吳楚材、吳調侯：宮之奇三番諫諍，首段論勢，中段論情，後段論理。層次井井。激昂盡致。奈君聽不聰，終尋覆轍。

曰：「虞不臘⑤矣。在此行也，晉不更舉矣。」

冬，晉滅虢。師還，館于虞。遂襲虞，滅之，執虞公。

注釋 ①虞：國名，在今山西平陸東。虢：國名，這裏指北虢，在今山西平陸南。②宮之奇：虞大夫。③昭：和下文的「穆」都是指宗廟神主的位次。始祖的神主居中，子在左爲昭，子之子在右爲穆，順次往下排列。大伯、虞仲、王季是周大王古公亶父的兒子，稱昭；而虢仲、虢叔是王季的兒子，稱穆。④盟府：掌管盟誓典策的官府。⑤臘：年終合祭衆神叫臘祭。

譯文 晉獻公再次向虞國借路以進攻虢國。宮之奇勸阻虞公說：「虢國，是虞國的外圍，虢國一旦滅亡，虞國必然跟着滅亡。晉國的貪心不能開頭，侵略別人的軍隊不能輕視。一次借路已經過分，怎麼能有第二次？俗諺所說：『車夾板與車相互依存，嘴唇沒了，牙齒就寒冷』，講的就是像虞、虢兩國這樣互相依存的關係啊。」

虞公說：「晉國，和我同宗族啊，難道會害我嗎？」宮之奇回答說：「太伯、虞仲是大王的長子和次子。太伯不在身旁，因此不讓他繼承王位。虢仲、虢叔都是王季的第二代，是文王的大臣，有功

于周王室，封策藏在盟府中。如果虢國都滅掉，對虞國還愛什麼？再說虞和晉的關係能比桓、莊之族更親密嗎？他這樣愛他們，桓、莊兩個家族有什麼罪過？但晉獻公把他們殺害了，不就是因爲近親對自己有威脅嗎？親族因勢力威脅自己，還要加害他們，何況對國家呢？」

虞公說：「我的祭品豐盛清潔，神必保佑我。」宮之奇回答說：「我聽說，鬼神是不隨便親近人的，祇親近德行。所以《周書》說：『上天對人沒有親疏，祇是保佑有德行的。』又說：『黍稷不算芳香，祇有美德才芳香。』又說：『人們不用改變祭品，祇有有德人的祭品才是眞正的祭品。』這樣看來，如果沒有德，百姓就會不和，神靈就不會享用了。神靈所憑依的，就在德行了。如果晉國攻取虞國，但崇尚德行奉獻芳香的祭品，神靈難道會吐出來嗎？」

虞公不聽，同意晉國使者。宮之奇帶全族的人離開虞國，說：「虞國的滅亡等不到歲終祭祀了。在這次假道行動後，晉國不需要再次出兵了。」

冬天，晉滅了虢國，晉軍回師，駐扎在虞國，隨即滅了虞國，捉住了虞公。

吳楚材 吳調侯：修睦以尊周室，故以爲禮。

齊桓主盟

齊桓公爲當時盟主，會盟諸侯。

齊桓下拜受胙　僖公九年《左傳》

題解　本篇反映了周王室雖已衰微，但春秋時期諸侯爭霸往往還需打着周王室的旗號。齊桓公爲當時盟主，會盟諸侯，周王給齊侯特殊的禮遇，欲依靠齊國之力維持統治。齊侯仍尊禮下拜，以「尊王」的名義鞏固自己霸主的地位。

原文　夏，會于葵丘①。尋盟②，且修好，禮也。

王使宰孔賜齊侯胙③，曰：「天子有事于文、武，使孔賜伯舅胙。」齊侯將下拜，孔曰：「且有後命。天子使孔曰：『以伯舅耋④老，加勞，賜一級，無下拜。』」

對曰：「天威不違顏咫尺。小白[5]余敢貪天子之命無下拜？恐隕越于下，以遺天子羞，敢不下拜。」下，拜，登，受。

吳楚材、吳調侯：看他一連寫五個下拜，兩無下拜，與敢不下拜應，與下、將下拜，與下、拜、登、受應。

注解　①葵丘：宋地名，在今河南蘭考境內。②尋盟：尋，通「燖」，將冷了的食物重新加熱。這裏指重申過去的盟約。③王：與下文中的「天子」都指周襄王。宰：官名。孔：人名。胙：祭肉。④耋：七十歲稱耋。⑤小白：齊桓公名。

譯文　夏天，諸侯在葵丘集會，重申過去的盟約，結成邦交，這是符合禮節的。

周襄王派宰孔賜祭肉給齊桓公，說道：「天子曾祭祀周文王、武王，派我來賜給您祭肉。」齊侯正要下階拜謝，宰孔說：「還有另外的命令。天子讓我轉告說：『因爲您年高，加之對王室的功勞，所以賞賜你更高一級，不用下階跪拜。』」齊侯回答說：「天子的威嚴不能絲毫冒犯，我小白哪裏敢有一點貪圖天子的寵命而不下階拜謝呢？那樣，恐怕會在下面跌倒，因此給天子帶來羞辱。哪敢不下階拜謝啊？」下階，拜謝，登壇，接受祭肉。

陰飴甥對秦伯　僖公十五年《左傳》

題解　秦穆公曾幫助過晉惠公，但晉惠公忘恩負義，于是秦晉交戰，惠公被俘。晉派陰飴甥出使求和。陰飴甥一方面說人民堅定地要報仇，另一方面說群臣對秦國寄以希望，借「君子」、「小人」的話回答秦穆公的提問，顯示出高超的外交口才。

呂思勉：此篇爲辭令之美。

原文　十月，晉陰飴甥會秦伯，盟于王城[1]。秦伯曰：「晉國和乎？」對曰：「不和。小人恥失其君而悼喪其親[2]，不憚征繕以立圉也[3]。曰：『必報仇，寧事戎狄[4]。』君子愛其君而知其罪，不憚征繕以待秦命[5]，曰：『必報德，有死無二。』以此不和。」秦伯曰：「國謂君何？」對曰：「小人戚，謂之不免；君子恕，以爲必歸[6]。小人曰：『我毒秦[7]，秦豈歸君？』君子曰：『我知罪矣，秦必歸君。』貳[8]而執之，服而舍之，德莫厚焉，刑莫威焉。服者懷德，貳者畏刑。此一役也，秦可以霸。納而不定，廢而不立，以德爲怨，秦不其然[9]。」秦伯曰：「是吾

的懷念恩德，有二心的害怕嚴厲的懲罰。通過這件事，秦國就可以成就霸業了。當初送他回晉國爲君，現在使他不得在位；過去把他抓起來，現在認罪了卻不放他回去爲國君，這樣把過去的恩德變爲現在的怨仇，秦國不會這麼做的。」秦穆公說：「這正是我的想法啊。」于是把晉惠公送到國賓館去住，送給他牛、羊、豬各七頭。

子魚論戰 僖公二十二年《左傳》

題解 楚國爲救鄭而攻宋，宋襄公準備應戰。司馬子魚指出：宋弱楚强，敵衆我寡，反對輕率地同楚國作戰。當宋襄公決定作戰之後，他就積極謀劃，主張趁自己處于有利的地位時，攻打楚軍，爭取戰爭的勝利。他反駁宋襄公的一席話，有理有據，很有說服力。

蘇軾：宋襄公非獨行仁義而不終者也。

原文 **楚人伐宋以救鄭。宋公將戰。大司馬①固諫曰：「天之棄商久矣。君將興之，弗可赦也已。」弗聽。**

及楚人戰于泓②。宋人既成列，楚人未既濟。司馬曰：「彼衆我寡，及其未既濟也，請擊之。」公曰：「不可。」既濟而未成列，又以告。公曰：「未可。」既陳而後擊之，宋師敗績。公傷股，門官殲焉。

國人皆咎公。公曰：「君子不重傷，不禽二毛。古之爲軍也，不以阻隘也。寡人雖亡國之餘，不鼓不成列。」

子魚曰：「君未知戰。勍③敵之人，隘而不列，天贊我也。阻而鼓之，不亦可乎？猶有懼焉！且今之勍者，皆吾敵也，雖及胡耇④，獲則取之，何有于二毛？明恥教戰，求殺敵也。傷未及死，如何勿重？若愛重傷，則如勿傷；愛其二毛，則如服焉。三軍以利用也，金鼓以聲氣也。利而用之，阻隘可也；聲盛致志，鼓儳⑤可也。」

吳楚材、吳調侯：寡固不可以敵衆。宋公既不量力以致衰師，又爲迂腐之說以自解，可發一笑。

注釋 ①大司馬：執掌軍政的官。②泓：水名，在今河南柘城西北，爲古渙水支流。③勍：强勁有力。④胡耇：年老的人。⑤儳：參差不齊。

譯文 楚國人攻宋國以救鄭國。宋襄公準備應戰。大司馬公孫固勸阻說：「上天拋棄商朝已經很久了，主公想復興它，是不可赦免的罪過啊！」襄公不聽。

君以田⑧渭濱，女爲惠公來求殺余，命女三宿，女中宿⑨至。雖有君命，何其速也？夫袪⑩猶在，女其行乎！」對曰：「臣謂君之入⑪也，其知之矣。若猶未也，又將及難。君命無二，古之制也。除君之惡，唯力是視⑫。蒲人、狄人，余何有焉⑬？今君即位，其無蒲、狄乎！齊桓公置射鉤而使管仲相⑭。君若易之，何辱命焉？行者甚衆，豈唯刑臣⑮？」

公見之，以難告。三月，晉侯潛會秦伯⑯于王城。己丑晦，公宮火。瑕甥、郤芮不獲公，乃如河上，秦伯誘而殺之。

吴楚材、吴調侯：寺人披傾險反復，誠無足道。然持議事告人，危言迫脅，說得毛骨俱悚，人自不得不從之，可謂閹人之雄。

注釋

①呂、郤：呂甥、郤芮，他們是晉惠公舊臣。②弑：古代稱子殺父、臣殺君爲弑。③寺人披：一個名叫披的宦官，即勃鞮。寺人，宦官。④讓：譴責，責備。⑤蒲城之役：晉獻公受驪姬蠱惑，逼死太子申生，立驪姬所生之子奚齊爲太子，重耳逃到蒲城，晉獻公派寺人披攻打蒲城，想殺死重耳，重耳越墻而逃，不過袖子被寺人披砍掉了一條。⑥一宿：隔一夜。⑦女：通「汝」，你。⑧田：通「畋」，打獵。⑨中宿：隔兩夜。⑩袪：袖子。⑪入：回國。⑫唯力是視：「唯視力」，衹看自己的力量有多大，意爲全力而爲。⑬余何有焉：與我有什麽關係呢？⑭齊桓公置射鉤而使管仲相：魯莊公九年，齊國的公子小白與公子糾争位，管仲奉公子糾之命追殺齊桓公，管仲用箭射中了小白的帶鉤，小白假死，搶先回國，即位爲齊桓公。齊桓公聽從鮑叔牙勸説，没有處罰管仲，還任用其爲相。⑮刑臣：受過刑的人。寺人披是宦官，受過宫刑，所以才這麽説。⑯秦伯：指秦穆公。

譯文

呂甥、郤芮兩個人害怕受到晉文公的迫害，想要焚燒他的宫室，殺死晉文公。寺人披此時請求謁見晉文公，晉文公派人斥責他，而且拒絶見他，説：「蒲城那場戰鬥，國君讓你在第二天趕到就行，可是你卻立即到達。後來，我逃往狄國，與狄國國君一起去渭河邊畋獵，你受惠公之命前去殺我，惠公讓你三天以後趕到即可，可你第二天就趕到了。就算是奉君王之命，爲什麽要那麽快呢？在蒲城被你斬斷的那條袖子還在呢。你還是趕緊走吧！」寺人披回答説：「我認爲您這次回到國内，已經明白如何做一個國君了。假如還没明白，恐怕您還會遭遇災難。對于國君下達的命令，不能懷有二心，這是從古代流傳到現在的制度。爲國君除去他所憎恨的人，全視自己的力量而行，要盡力而爲。

至于您所認爲的惡人是蒲人還是狄人，跟我有什麼關係呢？如今您即位做了國君，難道就沒有蒲、狄兩地那樣的事情發生了嗎！以前齊桓公放下了射中帶鉤的仇恨，讓管仲來輔佐自己，假如您采取不同于桓公的做法，那何必讓您受累來下達驅逐的命令呢？而且逃走的人肯定會很多，不光是受過宫刑的我一個人？」

于是晉文公就召見了寺人披，他將呂、郤準備發動叛亂的事情告訴了晉文公。晉文公于是暗中與秦穆公在秦國的王城見面，商量解決的辦法。三月二十九日是這個月的最後一天，晉文公的宫室果然被大火燒毀。不過呂甥、郤芮卻沒能捉到晉文公，于是他們逃到了黄河邊上，秦穆公把他們誘騙過河，然後殺死了他們。

介之推不言祿　僖公二十四年《左傳》

題解

晉文公即位前曾在國外流亡十九年，後來在秦穆公的幫助下回國即位。當其他跟從晉文公流亡的人爭功時，衹有介之推不爭功，也沒有受到賞賜。介之推和他母親的談話，批判了爭奪名利的行徑。千百年來，他這種淡泊名利的思想一直爲人們所贊賞。

原文

晉侯賞從亡者①。介之推不言祿，祿亦弗及②。推曰：「獻公之子九人，唯君在矣。惠、懷無親，外内棄之③。天未絕晉，必將有主④。主晉祀⑤者，非君而誰？天實置之，而二三子以爲己力，不亦誣乎⑥？竊人之財，猶謂之盜。况貪天之功，以爲己力乎？下義其罪，上賞其奸，上下相蒙，難與處矣⑦！」其母曰：「盍亦求之，以死誰懟⑧？」對曰：「尤而效之⑨，罪又甚焉！且出怨言，不食其食⑩。」其母曰：「亦使知之，若何？」對曰：「言，身之文也，身將隱，焉用文之？是求顯也⑪。」其母曰：「能如是乎？與汝偕隱。」遂隱而死。

晉侯求之不獲，以綿上爲之田⑫，曰：「以志吾過，且旌善人⑬。」

吴楚材、吴調侯：先正多責推借正言以泄私怨。看此敘事，先書不言祿三字，便知推本自過人一等。

注釋

①晉侯：晉文公。從亡：隨從出亡。②介之推：姓介名之推，又作「子推」。他是追隨晉文公出亡十九年的人。在晉文公對從亡諸臣論功行賞時，他却不居功邀賞，與其母偕隱于綿山而死。祿亦弗及：指介之推不自求祿賞，晉文公也忽略了他，因而在頒祿時未提及介之

推。③惠：晉惠公。懷：晉懷公。無親：指衆叛親離。外：指諸侯國。內：指國內臣民。④天未絕晉，必將有主：上天不想斷絕晉國，一定會有君主出現。⑤主晉祀：主持宗廟之祭祀，也就是指繼位享國。⑥置：立。二三子：指從亡諸臣。誣：欺騙。⑦下義其罪：意謂貪天之功，本是一種罪過，在下者反將其罪過當作立君之義。上賞其奸：意謂貪天之功，本是奸邪之事，在上者反以爲推立之賞。上下相蒙：意謂在上者不究其奸而賞之，在下者不自知其罪而邀功求賞，上下互相欺蒙。處：指同處于朝。⑧盍：何不。求：求賞。以死：指不求賞而默默無聞地死去。懟：怨恨。⑨尤：罪過，此言「以爲是罪過」。效：仿效。⑩怨言：指對「上下相蒙」而發的怨言。不食其食：不應再食其祿賞。⑪文：文飾。焉：安，何。是求顯也：謂僞裝退隱，實則有追求顯達之心。⑫綿上：晉地名，在今山西介休介山下，又叫綿山。爲之田：指以綿上之地爲介之推私田，以供祭祀。⑬志吾過：記住我須賞忘賢之過。旌善人：表彰介之推這類有功而不貪的善人。

譯文

晉文公賞賜跟從他流亡的人。介之推不談爵祿，爵祿也沒有給他。介之推說：「獻公之子

九人，祇有君侯還在世。惠公、懷公沒有親近之人，國內外都厭棄他們。天不斷絕晉國的後嗣，一定會有君主。主持晉國祭祀的人，不是國君又是誰呢？實在是上天立的他，而那幾個人以爲是自己的力量，不是騙人嗎？偷別人的財物，還被稱爲盜，何況竊取上天的功勞當作自己的功勞呢？下面的人贊同他們的罪過，上面的人獎賞他們的欺詐，上下相互欺騙，就難以和他們相處了。」他的母親說：「何不也去請求賞賜？就這樣死了，怨誰？」介之推說：「明知是錯誤而效法它，罪過更大。而且我發出過怨言，不可再吃國君的俸祿。」他的母親說：「也要讓國君知道這件事，怎樣？」介之推答道：「言語，是身上的裝飾品。身子將要隱藏，哪裏還要用言語去裝飾它？這樣做就是爲了顯露了。」他的母親說：「能夠像你說的這樣去做嗎？我和你同去隱居。」于是隱居而死。

晉文公沒有找到他，就以綿上作爲介之推的封地，說：「以此記載我的過失，並表彰好人。」

展喜犒師 僖公二十六年《左傳》

題解

齊國打算趁魯國受災時侵略魯國。展喜以犒師的名義來到齊軍中，以道義勸說齊侯，有理有據，使齊孝公無可答復，祇好收兵。

吳楚材、吳調侯：小人君子，以無識有識言。說恐不得，說不恐又不得，說分作君子小人說，奇妙。

原文　齊孝公伐我北鄙，公使展喜犒師①。使受命于展禽②。

齊侯未入竟③，展喜從之，曰：「寡君聞君親舉玉趾④，將辱于敝邑，使下臣犒執事⑤。」齊侯曰：「魯人恐乎？」對曰：「小人恐矣，君子則否。」齊侯曰：「室如縣罄⑥，野無青草，何恃而不恐？」對曰：「恃先王之命。昔周公、大公，股肱⑦周室，夾輔成王，成王勞之而賜之盟，曰：『世世子孫，無相害也。』載在盟府⑧，太師職之⑨。桓公是以糾合諸侯，而謀其不協，彌縫其闕，而匡救其災，昭舊職也。及君即位，諸侯之望曰：『其率桓之功。』我敝邑用不敢保聚。曰：『豈其嗣世九年，而棄命廢職？其若先君何？君必不然。』恃此以不恐。」齊侯乃還。

注釋　①展喜：魯大夫，展禽弟。犒師：犒勞軍隊。師，這裏指前來進攻魯國的齊國軍隊。②展禽：名獲，字禽，謚惠。因食邑于柳下，又稱柳下惠。③竟：通「境」，指魯國國境。④舉玉趾：對别人采取行動的尊稱。趾，即脚和腿。⑤執事：君王周圍的辦事人員。⑥縣罄：樂器，懸挂時爲中間高出兩邊向下的形狀，裏邊是空的。縣，同「懸」；罄，同「磬」。⑦股肱：大腿和胳膊，這裏指帝王身邊的得力大臣。⑧盟府：古代掌管盟約的官府。⑨太師：應爲太史，古代掌管國家典籍的官員。職：掌管。

展喜犒師

齊孝公進攻魯國北部邊境，魯僖公派展喜去慰問齊軍。

譯文　齊孝公進攻我國北部邊境，魯僖公派展喜去慰問齊軍，並叫他到展禽那裏去接受外交辭令。

齊侯没有進入魯國的國界，展喜見到他，說：「我們的國君聽到您親勞大駕，將到我國，因此派了我來犒勞您左右的人。」齊侯問：「你們魯國人害怕嗎？」展喜回答說：「小人怕了，君子不怕。」齊侯說：「你們的府庫空無所有，田野

裏連青草都沒有，憑什麼不害怕呢？」展喜回答說：「憑先王的命令。從前周公、太公，扶助周王室，一起輔佐成王，成王慰勞他們並賜給他們誓約，說：『你們世世代代的子孫，不要互相傷害。』這個盟約還藏在盟府裏，由太師掌管着。齊桓公因此聯合諸侯，解決他們之間的矛盾，彌補他們的過失，並且拯救他們的災難，這都是表明他們的職責呀！到您登上君位，諸侯都抱着希望，說：『他大概能繼承桓公的功業。』我們因此不敢修城治兵，做戰爭的準備。說：『難道他繼承君位才九年，就要丟棄先王的命令，荒廢以前的職責嗎？這又怎麼對得起先君呢？想來齊君一定不會如此。』我們靠着這個才不害怕。」齊侯于是就回國了。

燭之武退秦師 僖公三十年《左傳》

題解 秦、晉聯合攻鄭，危急關頭燭之武去勸說秦國撤兵。他的話表面上處處爲了秦國打算，實際是爲了保全鄭國。他利用秦晉之間的矛盾，說服秦穆公撤兵回國，化解了鄭的亡國危機。

原文 晉侯、秦伯圍鄭，以其無禮于晉，且貳于楚也。晉軍函陵①，

吳楚材、吳調侯：二句，言敘代之由。

秦軍氾②南。

佚之狐③言于鄭伯曰：「國危矣，若使燭之武④見秦君，師必退。」公從之。辭曰：「臣之壯也，猶不如人；今老矣，無能爲也已。」公曰：「吾不能早用子，今急而求子，是寡人之過也。然鄭亡，子亦有不利焉。」許之。

夜縋⑤而出。見秦伯，曰：「秦、晉圍鄭，鄭既知亡矣。若鄭亡而有益于君，敢以煩執事。越國以鄙遠，君知其難也。焉用亡鄭以陪鄰？鄰之厚，君之薄也。若捨鄭以爲東道主，行李⑥之往來，共其乏困，君亦無所害。且君嘗爲晉君賜矣，許君焦、瑕⑦，朝濟而夕設版⑧，君之所知也。夫晉，何厭之有？既東封鄭，又欲肆其西封，若不闕秦，將焉取之？闕秦以利晉，唯君圖之。」秦伯說，與鄭人盟。使杞子、逢孫、楊孫戍之，乃還。

吳楚材、吳調侯：此借舊事以見晉慣背秦德。與之共事，斷無有益。絕好一證。

吳楚材、吳調侯：篇中前段寫亡鄭，乃以陪晉。後段寫亡鄭，即以亡秦。中間引晉背秦一證，思之毛骨俱悚。宜乎秦伯之不但去鄭，而且戍鄭也。

子犯⑨請擊之。公曰：「不可！微⑩夫人之力不及此。因人之力而敝之，不仁；失其所與，不知；以亂易整，不武。吾其還也。」亦去之。

注釋 ①函陵：鄭地名。在今河南新鄭北。②氾：水名，這裏指東氾，故道在今河南中牟南。③佚之狐：鄭大夫。④燭之武：鄭大夫。⑤縋：系在繩子上放下去。⑥行李：外交使臣。⑦焦、瑕：晉二地名，都在今河南陝縣附近。⑧版：版築，用木板打土墻。⑨子犯：狐偃，晉文公舅。⑩微：非。

譯文 晉文公聯合秦穆公包圍鄭國，因爲鄭文公曾對晉文公無禮，而且還依附楚國。晉軍駐扎在函陵，秦軍駐扎在氾水之南。

佚之狐向鄭文公說：「國家危險了，如果派燭之武去見秦君，秦國軍隊一定退走。」鄭文公聽了他的意見。燭之武推辭說：「臣壯年時，尚且不如別人；現在老了，無能爲力了。」鄭文公說：「我沒有及早重用您，危急時才來求您，這是我的過錯。然而鄭亡國了，對您也不利啊！」燭之武答應了。

夜裏，把燭之武用繩子從城上墜下去。見到秦穆公，燭之武說：「秦、晉圍攻鄭國，鄭國已經知道就要滅亡了！如果鄭國滅亡對您有好處，那就值得煩勞您的屬下。越過其他國家而在遠方設置邊邑，您知道這不好辦。哪能用滅鄭來加強鄰國呢？鄰國實力增強，就等于您的力量減弱了。如果不滅鄭國而使它成爲您東方道路上的主人，貴國使臣經過，供應他們的食宿給養，這對您也無壞處。再說您也曾經有恩于晉惠公，他答應給您焦、瑕兩地，可是他早晨剛剛渡河回國，晚上就在那裏築城防禦，這是您所知道的。那個晉國，怎麼會有滿足的時候？它既以鄭國作爲東邊的疆界，又要擴張它西邊的疆界，如果不損害秦國，它到哪裏去奪取土地？損害秦國而讓晉國得利，希望您還是多多考慮這件事。」秦伯很高興，與鄭國結盟，派杞子、逢孫、楊孫戍守鄭國，就回國了。

晉國大夫子犯請求攻打秦軍。晉文公說：「不可，如不是秦國國君的力量，就沒有我的今天。依靠過別人的力量而去損害別人，是不仁；失去同盟國，是不智；用動亂來代替整齊，是不武。我們還是回去吧。」于是也撤離鄭國。

蹇叔哭師

僖公三十二年《左傳》

題解　秦穆公不聽蹇叔的一再勸阻，堅持出兵攻打鄭國，被晉軍在殽山打敗。出征前，蹇叔哭送秦軍，並闡述了他對戰爭形勢的正確分析，也表現了他的愛國之情。

原文　杞子自鄭使告于秦曰①：「鄭人使我掌其北門之管②，若潛師以來③，國④可得也。」穆公訪諸蹇叔⑤。蹇叔曰：「勞師以襲遠⑥，非所聞也。師勞力竭，遠主備之，無乃不可乎⑦？師之所爲，鄭必知之。勤而無所，必有悖心⑧。且行千里，其誰不知？」公辭⑨焉，召孟明、西乞、白乙，使出師于東門之外⑩。蹇叔哭之曰：「孟子！吾見師之出而不見其入也。」公使謂之曰：「爾何知！中壽⑪，爾墓之木拱⑫矣！」

吳楚材、吳調侯：總斷一句。破前師得國之非，下作兩層寫。

蹇叔之子與⑬師。哭而送之⑭，曰：「晉人禦師必于殽⑮。殽有二陵⑯焉：其南陵，夏后皋⑰之墓也；其北陵，文王之所辟⑱風雨也。必死是間⑲，余收爾骨焉！」秦師遂東。

吳楚材、吳調侯：談覆軍之所，如在目前，後果中之，蹇叔可謂老成先見。一哭再哭，出軍時誠惡聞此，然蹇叔不得不哭，若穆公之既敗而哭，晚矣！

注釋　①杞子：秦穆公派駐鄭國的秦大夫之名。使：派人。②管：鎖鑰。③潛師以來：秘密地發兵來襲擊鄭國。④國：鄭國。⑤訪：咨詢。諸：之于。蹇叔：秦國大夫，是一個老臣。⑥勞師：調動軍隊勞苦跋涉。襲遠：偷襲遠方的國家。⑦遠主：遠方的鄭君。無乃：大概、可能。⑧所：處所。勤而無所：派軍隊辛辛苦苦地遠征而没有所得。必有悖心：官兵必定有怨恨叛離之心。⑨辭：拒絶，不接受。⑩孟明：姓百里，名視，是百里奚之子。西乞：名術。白乙：名丙。以上三人都是秦的將領。東門：秦之國都東門，當時秦國定都于雍（今陝西扶風）。⑪中壽：一般老者的壽命，大約六七十歲。此處是詛咒蹇叔活

畜牧封侯

百里奚，春秋時期虞國人（今山西平陸縣），是秦穆公稱霸西戎、戰勝晉國的重要謀臣。昔百里奚賢秦穆公，欲干之。穆公好牛，奚因賃養牛。公出遊，登車以問百里，百里曰：臣之所長，非養牛者也，乃養民也。視牛察士，乃則賢人也。遂與同車而出。

蹇叔哭師

僖公三十二年《左傳》

杞子自鄭使告于秦曰：「鄭人使我掌其北門之管[3]，若潛師[4]以來[5]，國可得也。」穆公訪諸蹇叔[6]。蹇叔曰：「勞師以襲遠，非所聞也。師勞力竭，遠主備之[7]，無乃不可乎[8]？師之所為，鄭必知之。勤而無所，必有悖心[9]。且行千里，其誰不知[10]？」公辭焉。召孟明、西乞、白乙，使出師于東門之外[11]。蹇叔哭之曰：「孟子[12]！吾見師之出而不見其入也。」公使謂之曰：「爾何知！中壽[13]，爾墓之木拱矣！」蹇叔之子與師。哭而送之，曰：「晉人禦師必於殽[14]。殽有二陵焉。其南陵，夏后皐[18]之墓也；其北陵，文王之所辟風雨也。必死是間，余收爾骨焉[15]！」秦師遂東。

秦師遂東。

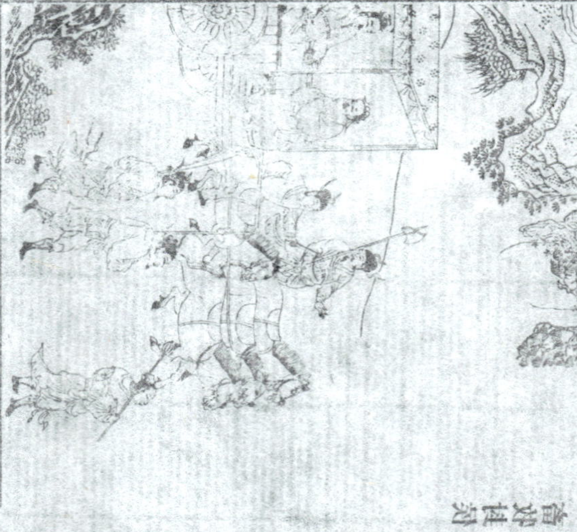

到中壽之年就該死去。⑫拱：兩手合抱。⑬與：參加。⑭哭而送之：主語是蹇叔，賓語「之」，指蹇叔之子。⑮禦：抵禦，伏擊。殽：同「崤」，山名，地勢險要，在今河南洛寧西北。⑯二陵：指兩座山岡。⑰夏后皋：夏天子皋，夏桀的祖父。⑱辟：同「避」。⑲間：指二陵之間。

譯文 杞子從鄭國派人告知秦國說：「鄭國人派我掌管他們北門的鑰匙，如果秘密地派兵來，鄭國可以得到。」秦穆公爲此事征求蹇叔的意見。蹇叔說：「使軍隊受到很大的消耗去襲擊遠處，沒有聽說過啊。軍隊勞累精力衰竭，遠方的國家已有防備，這恐怕不可以吧？我軍的行動，鄭國必定知道。秦軍勞累卻沒有收穫，士兵必定會有叛逆作亂的心理。況且行軍千里，誰不知道呢？」秦穆公不聽，召集孟明、西乞、白乙，派他們從東門出兵。蹇叔哭着送他們道：「孟將軍啊！我看着軍隊出發，卻看不到他們回來了！」秦穆公派人對他說：「你懂什麼！如果你衹活了六七十歲的話，你墳上的樹都已合抱了！」

蹇叔的兒子也跟隨軍隊。蹇叔哭着送他道：「晉國一定會在崤山防禦。崤山有兩座山峰：它的南峰，是夏朝君王皋的墓；它的北峰，是周文王躲避風雨之處。你必定死在它們之間，我到那裏收你的屍骨吧！」

秦國的軍隊便向東方出發。

卷二 周文

鄭子家告趙宣子 文公十七年《左傳》

題解 鄭國處在晉、楚兩個大國之間，左右爲難，在晉國威脅鄭國時，鄭子家利用晉、楚兩大國的矛盾，警告晉國如果欺人太甚鄭國就會拼死反抗，迫使晉國做出了讓步。

原文 晉侯合諸侯于扈①，平宋也。

于是晉侯不見鄭伯②，以爲貳于楚也。鄭子家使執訊而與之書③，以告趙宣子④曰：「寡君即位三年，召蔡侯而與之事君⑤。九月，蔡侯入于敝邑以行，敝邑以侯宣多⑥之難，寡君是以不得與蔡侯偕。十一月，克減侯宣多，而隨蔡侯以朝于執事。十二年六月，歸生佐寡君之嫡夷，以請陳侯于楚而朝諸君。十四年七月，寡君又朝，以蕆⑦陳事。十五年五月，陳侯自敝邑往朝于君。往年正月，燭之武往朝夷⑧也。八月，寡君又往朝。以陳、蔡之密邇于楚，而不敢貳焉，則敝邑之故

吳楚材、吳調侯：侯宣多以援立穆公之故，恃寵專權而作亂。

也。雖敝邑之事君，何以不免？在位之中，一朝于襄，而再見于君，夷與孤之二三臣，相及于絳⑨，雖我小國，則蔑以過之矣。

「今大國曰：『爾未逞吾志。』敝邑有亡，無以加焉。古人有言曰：『畏首畏尾，身其餘幾？』又曰：『鹿死不擇音。』小國之事大國也，德，則其人也；不德，則其鹿也。鋌而走險，急何能擇？命之罔極，亦知亡矣。將悉敝賦以待于儵⑩，唯執事命之。文公二年，朝于齊；四年，爲齊侵蔡，亦獲成于楚。居大國之間而從于強令，豈其罪也？大國若弗圖，無所逃命。」

晉鞏朔⑪行成于鄭，趙穿、公婿池⑫爲質焉。

吳楚材、吳調侯：言以人視我，我還是人。以鹿視我，我便是鹿。

注釋 ①晉侯：晉靈公。扈：鄭地名，在今河南原武西。②鄭伯：鄭穆公。③子家：鄭公子歸生，字子家。執訊：掌管通訊聯絡的官。④趙宣子：趙盾，晉國執政大夫。⑤蔡侯：蔡莊公。君：指晉襄公。⑥侯宣多：鄭大夫。⑦蕆：完成。⑧夷：鄭太子。⑨絳：晉國都城，在今山西新絳縣。⑩賦：這裏指軍隊。儵：地名，位于晉鄭交界處。⑪鞏朔：晉大夫。⑫趙穿：晉國卿。池：晉靈公的女婿。

譯文 晉靈公在扈會合各國，爲的是平定宋國的內亂。

晉侯不見鄭伯，以爲他暗地裏勾結了楚國。鄭國的大夫子家派通訊官去送信，告訴晉國的趙宣子說：「我國的國君即位三年，召集蔡侯和他一起侍奉你們國君。九月，蔡侯來到我國準備去貴國，我國因爲侯宣多的禍亂，國君因此不能和蔡侯同去。十一月，侯宣多的亂事剛剛平定，就和蔡侯一起朝見你們的國君。十二年六月，歸生又幫助我們國君的太子夷，爲陳侯朝見晉國的事向楚國請命。十四年七月，我國國君又前往朝見，來完成關于陳國的事。十五年五月，陳侯從我國前往晉國朝見。

朝見

弱國爲自保，要向强國進貢。鄭子家對趙宣子說：「我國國君在位的時候，一次朝見晉襄公，兩次朝見貴國現在的國君。」

去年正月，燭之武輔佐太子夷去貴國朝見。八月，我國國君又去朝見。陳、蔡兩國跟楚國貼近，卻不敢對晉國有二心，這都是有我國的原因啊。雖然我國多次爲貴國效勞，爲什麼還被認爲有罪呢？我國國君在位的時候，一次朝見晉襄公，兩次朝見貴國現在的國君，太子夷和我們兩三位大臣，相繼來到絳都朝見，雖然我們是小國，事大國之禮也無以復加了。

「如今大國卻說：『你沒有讓我滿意。』要是這樣，我國衹有滅亡，因爲我們已無法再增加我們朝見晉國的禮數了。古人有話說：『顧頭顧尾，身體還剩下多少呢？』還說：『鹿要死了是不會挑選陰涼的地方的。』小國爲大國效勞，大國有恩惠，那小國就會恭順；大國沒有恩惠，那麼小國就成爲被逼冒險的鹿了。緊急的時候哪裏還能選擇呢？你們的命令無法理解，我們也知道自己終究要滅亡了。衹好集中全部的兵力在儵等待，一切聽您的命令。鄭文公二年，我國到齊國朝見；四年，替齊國侵占了蔡國，蔡是楚的屬國，可是我們還和楚國建立了同盟。小國夾在大國之間，屈從于強國的命令，難道有罪嗎？大國如果不替我們着想，我們就無法逃避你們的挑戰。」

晉國的鞏朔和鄭國簽訂盟約，趙穿和晉靈公的女婿池留在鄭國做人質。

王孫滿對楚子

宣公三年《左傳》

題解 楚莊王攻打陸渾，周王派王孫滿去勞軍。鼎是周王室的鎮國之寶，楚王向王孫滿詢問關于周王室鼎的情況，有覬覦王權之意。王孫滿勸楚王應「重德輕鼎」，不可狂妄。

原文 楚子伐陸渾之戎①，遂至于雒②，觀兵于周疆。定王使王孫滿③勞楚子。楚子問鼎之大小輕重焉。對曰：「在德不在鼎。昔夏之方有德也，遠方圖物④，貢金九牧⑤，鑄鼎象物。百物而爲之備，使民知神奸⑥。故民入川澤、山林，不逢不若⑦。螭魅罔兩⑧，莫能逢之。用能協于上下，以承天休⑨。桀有昏德⑩，鼎迁于商，載祀⑪六百。商紂暴虐，鼎迁于周。德之休明⑫，雖小，重也；其奸回⑬昏乱，雖大，輕也。天祚明德，有所底止⑭。成王定鼎于郟鄏⑮，卜世三十，卜年七百，天所命也。周德雖衰，天命未改。鼎之

吳楚材、吳調侯：有天下者，在有德不再有鼎。一語喝破。

吳楚材、吳調侯：提出德字，已足以破痴人之夢；揭出天字，尤足以寒奸雄之膽。

輕重，未可問也。」

注釋 ①楚子：楚莊王。陸渾之戎：古代西北少數民族的一支。②雒：同「洛」。洛水源出陝西，經河南入黃河。③王孫滿：周大夫。④圖物：繪制各地的奇異物品。⑤貢金：貢獻銅。九牧：九州之長。⑥神奸：鬼神怪異之物。⑦若：順利。⑧螭魅：也作「魑魅」，據說是深山樹林中的精怪。罔兩：也作「魍魎」，據說是河流中形成的精怪。⑨休：保佑。⑩昏德：昏亂的行爲。⑪載祀：這兩者都是年的別稱。⑫休明：美好，清明。⑬奸回：邪惡奸詐。⑭厎：終。⑮郟鄏：東周王城，在今河南洛陽。

譯文 楚王討伐陸渾的戎族，乘機來到雒河，陳兵于周王室邊境上。

周定王派王孫滿慰勞楚王。楚莊王問起九鼎的大小和輕重。王孫滿回答說：「大小、輕重在于德而不在于鼎。以前夏代剛剛擁立有德之君的時候，描繪遠方各種物產的圖像，以九州島進貢的銅鑄成九鼎，將所畫的事物鑄在鼎上反映出來。鼎上各種事物都已具備，使百姓懂得神及邪惡事物的形象。所以百姓進入河湖和山林，不會碰到不馴服的惡物。像山精水怪之類，就不會碰到。因此能使上下協

調，而承受上天賜福。夏桀昏亂無德，九鼎遷到商朝，共六百年。商紂殘暴，九鼎又遷到周朝。德行美好光明，九鼎雖小，也重得無法遷走。如果奸邪昏亂，九鼎雖大，也輕得可以遷走。上天賜福有德行的人，是有個盡頭的。成王將九鼎固定安放在郟鄏，曾預卜周朝傳國三十代，享國七百載，這個期限是上天所決定的。周朝的德行雖然衰退，天命並未更改。九鼎的輕重，是不可以詢問的。」

齊國佐不辱命 成公二年《左傳》

題解 前五八九年，齊晉兩國交戰，齊國戰敗，晉國追擊。齊國派賓媚人去晉國求和。他在做出適當让步的同時，也表明了齊國若求和得不到晉國的同意，願拼死一戰的決心。他的話不卑不亢，頗具説服力。

原文 晉師從齊師，入自丘輿①，擊馬陘②。齊侯使賓媚人賂以紀甗、玉磬與地③。「不可，則聽客④之所爲。」

賓媚人致賂，晉人不可，曰：「必以蕭同叔子爲質，而使齊之封內盡東其畝⑤。」對曰：「蕭同叔子非他，寡君之母也。若以匹敵，則

吳楚材、吳調侯：言晉人不許，則聽其所爲。欲戰則更戰也。此句並頃公語意夾入，妙。伏下寡君之命使臣則有辭一段。

亦晉君之母也⑥。吾子布大命于諸侯，而日必質其母以爲信，其若王命何⑦？且是以不孝令也⑧。《詩》曰：『孝子不匱，永錫爾類⑨。』若以不孝令于諸侯，其無乃非德類也乎⑩？先王疆理天下，物土之宜而布其利⑪，故《詩》曰：『我疆我理，南東其畝⑫。』今吾子疆理諸侯，而曰『盡東其畝⑬』而已，唯吾子戎車是利，無顧土宜⑭，其無乃非先王之命也⑮乎？反先王則不義，何以爲盟主？其晉實有闕⑯！四王⑰之王也，樹德而濟同欲焉；五伯之霸也，勤而撫之，以役王命⑱。今吾子求合諸侯，以逞無疆之欲⑲。《詩》曰：『敷政優優，百祿是遒⑳。』子實不優而棄百祿，諸侯何害焉㉑？不然，寡君之命使臣，則有辭㉒矣。曰：『子以君師辱于敝邑，不腆敝賦，以犒從者㉓，畏君之震，師徒撓敗㉔。吾子惠徼齊國之福，不泯其社稷，使繼舊好，唯是先君之敝器、土地不敢愛㉕。子又不許，請收合餘燼，背城借一㉖。』敝邑之幸，亦云從也㉗；況其不幸，敢不唯命是聽㉘！」

吳楚材、吳調侯：晉既以不孝號令諸侯，是非以孝德賜及同類矣。以上破爲質句。

吳楚材、吳調侯：晉質母、東畝二令，而先不寬和，自棄其福祿，又何能爲諸侯之害乎。晉人所命，本欲害齊，而國佐却以爲何害。妙絕。已上言實有闕，不得爲盟主，以足上二段之意。

武王

四王之王，樹德而濟同欲焉。（四王指夏禹、商湯、周文王、周武王。）

注釋

①從：追逐。丘輿：齊邑，在今山東益都境內。②馬陘：齊邑，在今山東益都西南。③齊侯：齊頃公，名無野，桓公之孫，爲齊第二十君。賓媚人：齊之上卿，又稱國佐。紀：古國名，姜姓，侯爵，滅于齊。甗：上部呈甑形，下部呈鬲形的古代炊器，青銅或陶制。玉磬：古代以美玉雕成的樂器。紀甗、玉磬，是指齊滅紀所得之寶器。地：指齊國以前從魯國、衛國獲取的土地。④客：指晉國。⑤蕭同叔子：蕭君同叔之女，即齊頃公之母。蕭君，字同叔，是齊頃公之外祖父。此處晉國要求以頃公之母爲人質，是爲了報以前晉使訪問齊國時被嘲笑的

古文觀止

〈卷二周文〉　三十七

崇禎館藏書

……諸侯，以逞無疆之欲。《詩》曰：「布政優優，百祿是遒。」子實不優，而棄百祿，諸侯何害焉？不然，寡君之命使臣，則有辭矣，曰：「子以君師辱於敝邑，不腆敝賦，以犒從者。畏君之震，師徒橈敗。吾子惠徼齊國之福，不泯其社稷，使繼舊好，唯是先君之敝器、土地不敢愛。子又不許，請收合餘燼，背城借一。敝邑之幸，亦云從也；況其不幸，敢不唯命是聽！」

【注釋】

怨恨。據《公羊傳》等記載：晉使郤克跛足，訪齊時，跛而登階，被躲在帷幕後窺視的蕭同叔子所見，便嘲笑他。客人聽到笑聲，十分怨恨，發誓必報此仇。封內：疆界之內。東其畝：東西其畝，指將田壟改成東西向，一方面是對齊國的侮辱，一方面也是爲了便于處在齊國西部的晉國軍隊的車馬通行。⑥匹敵：對等，相當，相比。亦晉君之母：意謂同爲君母，所以，齊君之母猶晉君之母。⑦其若王命何：其于王命，如何？王命，先王以孝治天下，晉必以齊君之母爲質，即違背先王之命。⑧是以不孝令：如必以齊君之母爲質，這就是以不孝令于諸侯。⑨孝子不匱，永錫爾類：見《詩經・大雅・既醉》。意謂孝子的美德不竭不已，常以孝道賜予你的同族類者。⑩無乃非德類：言不以孝德賜及同類。無乃，或作「毋乃」，祇怕，恐怕。⑪疆理天下，物土之宜：指劃分天下土地的大界，定其溝途，治其土田，物色其地所宜。布其利：分布其所宜種之物。⑫我疆我理，南東其畝：見《詩經・小雅・信南山》。意謂區劃土地疆界，定其溝途，治其壟畝，有的南北向，有的東西向。（此以南概北，以東概西。）⑬盡東其畝：完全改爲東西向的田壟。⑭無顧土宜：不顧地勢土田之所宜。⑮非先王之命：不是先王的遺命。⑯闕：

缺失。⑰四王：指夏禹、商湯、周文王、周武王。⑱五伯：指夏伯昆吾，商伯大彭、豕韋，周伯齊桓、晉文。一說指齊桓、晉文、宋襄、秦穆、楚莊。勤而撫之，以役王命：指勤力以撫綏諸侯，奔走服役于王命，遵行先王之制度。⑲逞無疆之欲：希求滿足無止境的欲望。⑳敷政優優，百祿是遒：見《詩經・商頌・長發》。意謂商湯施政寬和，所以百福歸聚。敷，一本作「布」。㉑諸侯何害焉：何以加害于諸侯呢？㉒有辭：指求和不成時，齊君就有理由可說了。㉓不腆敝賦，以犒從者：言敝國物力雖不雄厚，也要犒勞晉軍（實則含蓄地表示要與晉軍作戰）。賦，兵賦。㉔震：威。撓敗：挫敗。㉕徼：通「邀」，求取。泯：滅。敝器：此指紀甗、玉磬等。愛：吝惜。㉖燼：餘火，此喻殘餘的軍力。背城借一：背靠城池，再借此一戰。借，憑借。㉗幸：指齊戰勝。從：聽從晉國。㉘不幸：指齊戰敗。敢：豈敢。唯命是聽：唯晉國之命是從。

【譯文】晉軍追趕齊軍，從丘輿進入齊國，進攻馬陘。齊頃公派賓媚人以紀甗、玉磬和土地作爲禮物求和，並說：「如果他們不同意，要怎樣就怎樣吧。」

賓媚人送上禮物，晉國人不同意，說：「一定要蕭國國王同叔的女兒來做人質，並將齊國境內的

田地全部變成東西走向。」賓媚人答道：「蕭同叔的女兒並非別人，是我國國君的母親啊。如果用地位相對應，就也是晉國國君的母親。您傳播周朝天子的命令給諸侯，卻又說必須將別人的母親作爲人質來表示信用，又想如何對待周天子的命令呢？而這是以不孝命令別人啊。《詩經》說：『孝子的孝心不會枯竭，它永遠賜福給你們。』如果以不孝號令諸侯，那不是完全成了不道德的一類了嗎？先王劃分天下，按照事物土地相適宜來安排它們的功用，所以《詩經》說：『我的疆土我料理，向南向東辟田地。』現今您劃分治理諸侯，卻說全部田地要東西走向，衹考慮您兵車的便利，不顧是否適合土地，這不是完全否定先朝國君的命令嗎？違反先王就是不義，憑什麼做盟主啊？晉國實在是不對啊！四王之所以爲王，是樹立道德榜樣而達成共同的願望啊！五霸之所以能稱霸，是辛勤幫助其他諸侯，來執行周朝天子的命令。現今您要聯合諸侯，以實現無止境的欲望。《詩經》說：『寬仁施政，百福聚集。』你們的施政實在不夠寬仁，便拋棄了百福，對其他諸侯有什麼害處啊？您如果不答應，我們國君派我來，還有另外的話。寡君說：『您帶軍隊屈尊來到敝國，沒有豐厚的財物犒賞您的部下，懼怕你們的威嚴，我們的軍隊衹能是失敗。您若能開恩給我們齊國福氣，不消滅我國，繼續友好，這些先君留下的簡陋

器具和土地不敢吝惜。你們如果還是不同意，請允許我們收拾殘兵，背對城池和你們一戰。我們若有幸得勝，也還會服從您；更何況若再敗，哪敢不唯命是聽啊！』」

楚歸晉知罃　成公三年《左傳》

題解　晉國要求用兩國交戰時俘獲的楚國戰俘的尸體換回知罃。歸國前，知罃與楚王有一段對話，在交談中，知罃大義凜然、不卑不亢，表現了誓死忠于國家的信念，維護了本國的尊嚴，也贏得了楚王的尊重。

原文　晉人歸楚公子穀臣與連尹襄老之尸于楚①，以求知罃②。于是荀首③佐中軍矣，故楚人許之。

王送知罃，曰：「子其怨我乎？」對曰：「二國治戎，臣不才，不勝其任，以爲俘馘④。執事不以釁鼓⑤，使歸即戮，君之惠也。臣實不才，又誰敢怨？」王曰：「然則德⑥我乎？」對曰：「二國圖其社稷，而求紓其民⑦，各懲其忿，以相宥也⑧。兩釋纍⑨囚，以成其好。

吳楚材、吳調侯：荀首，即知莊子，是時爲晉中軍佐，楚人畏其權要，故許歸其子。

二國有好，臣不與及，其誰敢德？」王曰：「子歸，何以報我？」對日：「臣不任受怨，君亦不任受德，無怨無德，不知所報。」王曰：「雖然，必告不穀⑩。」對曰：「以君之靈⑪，累臣⑫得歸骨于晉，寡君之以爲戮，死且不朽。若從君惠而免之，以賜君之外臣⑬首，首其請于寡君而以戮于宗⑭，亦死且不朽。若不獲命而使嗣宗職⑮，次及于事，而帥偏師以修封疆⑯，雖遇執事，其弗敢違。其竭力致死無有二心，以盡臣禮，所以報也。」王曰：「晉未可與爭。」重爲之禮而歸之。

吳楚材、吳調侯：雖遇楚之將帥，亦不敢違避。一敢字，應上二敢字。

注釋 ①穀臣：楚莊王的兒子。連尹襄老：楚國大臣，連尹爲官名，襄老爲人名。②知罃：晉大夫，荀首之子。③荀首：知莊子，晉國上卿。④俘馘：俘虜。馘，割耳。古代戰爭中以割取敵人左耳來記軍功。⑤釁鼓：用血塗在鼓上，是古代的一種祭禮。⑥德：感恩，感激。⑦紓：寬解，指解除苦難。⑧懲：克制。宥：寬赦，原諒。⑨累：捆綁。⑩不穀：不善，這裏是諸侯對自己的謙稱。⑪靈：威靈。這裏有福氣的意思。⑫累臣：被俘虜的人。⑬外臣：對其他國家的君主稱呼自己國家的大臣，這裏指知罃的父親荀首。⑭宗：宗族。⑮宗職：家族世襲的官職。⑯偏師：副將所率軍隊。修封疆：保衛邊境。

譯文 晉國人想把楚國公子穀臣和連尹襄老的屍體送還給楚國，以換回知罃。這時荀首擔任中軍副帥，所以楚國應允了。

楚共王爲知罃送行，對他說：「您大概很恨我吧？」知罃回答說：「兩國作戰，臣下沒有才能，不能勝任職務，所以被你們俘獲。您的左右不殺我取血塗鼓，讓我回晉國去接受刑罰，這是君王的恩惠。臣下確實無能，又敢怨恨誰呢？」楚王說：「那麼感謝我嗎？」知罃回答說：「兩國都爲自己打算，希望解除百姓的痛苦，各自抑制自己的怨忿，以求相互諒解。雙方釋放戰俘，以成全兩國的友好關係。兩國建立了友好的關係，並不是爲了我，又敢感激誰呢？」楚共王說：「您回國後用什麼報答我呢？」知罃回答說：「臣下承擔不起別人的怨恨，君王也承擔不起人們的感激。既沒有怨恨，也沒有恩德，不知道要報答什麼。」楚共王說：「即使如此，你也一定要把你的想法告訴我。」知罃回答說：「托君王的福，我這個被俘之臣能將這把骨頭帶回晉國，就是敝國國君殺了我，我死了也不朽。如果按

照君王的好意而赦免了我，就把我交給您的外臣首，首向我們國君請求按家法在宗廟裏處死我，也死而不朽。如果未得到我們國君殺戮我的命令，而讓臣下繼承祖宗的職位，讓我擔任晉國的職務，率所屬軍隊防禦邊境，即使遇上您的將帥也不敢違禮回避。我將盡心竭力以至于死，不會有別的想法，對晉王盡到爲臣之責，這就是我用來報答君王的。」楚共王說：「晉國是不能同它相爭鬥的。」于是，楚王加倍禮待知罃，把他放回晉國。

呂相絕秦

成公十三年《左傳》

題解 秦、晉兩國都是春秋時期的大國，這兩個國家既互通婚姻，同時也矛盾重重。前五八〇年，晉厲公與秦桓公約定在令狐會盟，但秦桓公卻背信棄義，不僅沒有參加會盟，還聯合北方的狄人與南方的楚國一起進攻晉國，于是晉國國君派呂相出使秦國，宣布與秦國絕交。

這篇文章叙述了秦晉兩國交往的歷史，譴責了秦國背信棄義的行爲，堪稱外交辭令的代表作。不過其中呂相對秦國的指責也有一些不合乎史實之處。

原文 晉侯使呂相絕秦①，曰：昔逮我獻公及穆公相好，戮力同心②，申③之以盟誓，重之以昏姻④。天禍晉國⑤，文公如齊，惠公如秦。無祿⑥，獻公即世⑦。穆公不忘舊德，俾我惠公用能奉祀于晉⑧。又不能成大勳，而爲韓之師⑨。亦悔于厥心⑩，用集我文公⑪。是穆之成也。

文公躬擐甲冑⑫，跋履⑬山川，逾越險阻，征東之諸侯，虞、夏、商、周之胤⑭，而朝諸秦，則亦既報舊德⑮矣。鄭人怒君之疆埸⑯，我文公帥諸侯及秦圍鄭。秦大夫不詢于我寡君，擅及鄭盟⑰。諸侯疾⑱之，將致命于秦⑲。文公恐懼，綏靖諸侯⑳，秦師克還無害㉑，則是我有大造于西也㉒。

無祿，文公即世，穆爲不弔㉓，蔑死㉔我君，寡我襄公㉕，迭我殽地㉖，奸絕我好㉗，伐我保城，殄滅我費滑㉘，散離我兄弟㉙，撓亂我

吳楚材、吳調侯：惠公卒，懷公立，穆公納重耳于晉爲文公。是穆公成安晉之功也。說秦作一頓，說秦德輕。

同盟[30]，傾覆我國家。我襄公未忘君之舊勳，而懼社稷之隕，是以有殽之師。猶願赦罪于穆公，穆公弗聽，而即楚謀我[31]。天誘其衷[32]，成王隕命，穆公是以不克逞志于我。

穆、襄[33]即世，康、靈即位[34]。康公，我之自出[35]，又欲闕翦我公室[36]，傾覆我社稷，帥我蟊賊[37]，以來蕩搖我邊疆，我是以有令狐之役。康猶不悛[38]，入我河曲[39]，伐我涑川[40]，俘我王官[41]，翦我羈馬[42]，我是以有河曲之戰。東道之不通[43]，則是康公絕我好也。

及君之嗣也[44]，我君景公引[45]西望曰：「庶撫我乎[46]！」君亦不惠稱盟[47]，利吾有狄難[48]，入我河縣[49]，焚我箕、郜[50]，芟夷我農功[51]，虔劉我邊陲[52]，我是以有輔氏之聚[53]。君亦悔禍之延，而欲徼福于先君獻、穆，使伯車[54]來命我景公曰：「吾與女同好棄惡，復修舊德，以追念前勳。」言誓未就，景公即世，我寡君[55]是以有令狐之會。君又不祥[56]，背棄盟誓。白狄及君同州[57]，君之仇讎，而我昏姻[58]也。君來賜命曰：「吾與女伐狄。」寡君不敢顧昏姻，畏君之威，而受命于使[59]。君有二心于狄，曰：「晉將伐女。」狄應且憎，是用[60]告我。楚人惡君之二三其德也[61]，亦來告我曰：「秦背令狐之盟，而來求盟于我，昭告昊天上帝、秦三公、楚三王曰[62]：『余雖與晉出入[63]，余唯利是視[64]。』不穀惡其無成德，是用宣之，以懲不一[65]。」諸侯備聞此言，斯是用痛心疾首，暱就寡人[66]。寡人帥以聽命[67]，唯好是求。君若惠顧諸侯，矜哀寡人，而賜之盟，則寡人之願也，其承寧[68]諸侯以退，豈敢徼亂？君若不施大惠，寡人不佞[69]，其不能以諸侯退矣。

敢盡布之執事[70]，俾執事實圖利之。

吳楚材、吳調侯：晉在秦東，故曰東道。康公絕晉之好，故不東通于晉。此段獨拖一句，妙。自穆公即世至此，做一截，是歷數秦康之罪。

吳楚材、吳調侯：或和或戰，當國謀其有利于秦者而為之。秦晉權詐相傾，本無專直。但此文飾辭駕罪，不肯一句放鬆，不使一字置辨，深文曲筆，變化縱橫，讀千遍不厭也。

注釋

①晉侯：指晉厲公，前五八〇年到前五七三年在位。呂相：魏相，晉國大夫魏錡之子，因食邑在呂，所以又稱呂相。②戮力同心：齊心合力。戮力，齊力，合力。③申：申

〔一〕国文 四十 卷二

若不敢大惠，寒人不敢[illegible]，其不[illegible]以[illegible]欲图衆。

寒人[illegible]，西顾之盟，顺寒人之[illegible]也，其未率[illegible]靠衆以[illegible]，寒宣[illegible][illegible]；[illegible]

[illegible]寒人[illegible]，[illegible]与[illegible]。

蔡[illegible]其[illegible][illegible]，[illegible]固宣之，以[illegible]不一[illegible]。[illegible][illegible][illegible][illegible]，[illegible][illegible]用[illegible]不

[illegible]王命，[illegible]三公，[illegible]三王曰[illegible]：「[illegible]辅与[illegible]，[illegible]不

其[illegible]也[illegible]，乱来[illegible][illegible]曰：「[illegible][illegible][illegible]而未[illegible]十[illegible]，[illegible]与[illegible]

不[illegible]秋，曰，[illegible]其[illegible]外失。「[illegible][illegible][illegible]，[illegible]与[illegible]未[illegible]之[illegible][illegible]

[illegible]奥之外失，[illegible]寒[illegible]不[illegible]远[illegible]，其[illegible]之[illegible]，[illegible]与[illegible]午秋，[illegible]来[illegible]

[illegible][illegible]，曰寒[illegible]同曰。「寒[illegible][illegible]，[illegible][illegible]曰：「[illegible]

中文[illegible]五 〔卷二〕 四十

明，表明。④重之以昏姻：使兩國聯姻的關係更加深厚。昏姻，婚姻。昏，通「婚」。⑤天禍晉國：天降災禍給晉國，指晉獻公寵幸驪姬所造成的晉國動亂。⑥無祿：沒有福氣。此處指不幸。⑦即世：去世。⑧俾我惠公用能奉祀于晉：這裏指被立爲國君。俾，使。用，因爲。奉祀，主持祭祀。⑨韓之師：在韓地發生的戰爭，這裏指秦、晉兩國的韓原之戰。⑩厥心：他的心。厥，代指秦穆公。⑪用集我文公：因此成全了我們的文公。用，因此。集，成全。文公，指晉文公重耳。⑫躬擐甲冑：親自身穿甲冑。擐，穿着。⑬跋履：跋涉。⑭胤：後人。當時位于崤山以東的諸侯國國君大多是虞、夏、商、周的後代，秦國因爲位于崤山以西，被視爲西戎。⑮舊德：往日的恩惠。⑯怒：侵犯。疆埸：邊疆，疆界。⑰擅及鄭盟：擅自和鄭國人簽訂盟約。⑱疾：厭惡，憎恨。⑲致命于秦：拿性命來跟秦國人戰鬥，指拼命。⑳綏靖：安撫，安定。㉑克還無害：安然返回而沒有受到傷害。㉒有大造于西也：有大功于秦國。大造，大功。西，指秦國。㉓不弔：不來弔唁。㉔蔑死：蔑視，輕視。㉕寡我襄公：欺凌我們的晉襄公。㉖迭我崤地：越過我們的崤地。迭，通「軼」，越過，這裏指侵犯。㉗奸絕我好：斷絕

同我國的友好關係。奸，通「扞」，拒絕。㉘殄滅我費滑：滅亡我們的附屬國滑國。殄，滅絕。費，滑國的都城，位于今河南偃師附近。費滑即滑國。㉙散離我兄弟：拆散和我國結成兄弟之國的國家。㉚撓亂我同盟：擾亂和我國結盟的國家。同盟，指鄭國和滑國。㉛即楚謀我：親近楚國，圖謀對我晉國不利。㉜誘：開啓，打開。衷：內心。㉝穆、襄：秦穆公和晉襄公。㉞康、靈：秦康公和晉靈公。㉟康公，我之自出：秦康公是晉獻公之女伯姬所生，所以說「自出」。㊱闕：通「掘」，挖掘。翦：斷絕。㊲蟊賊：原意指吃莊稼的害蟲，這裏指晉文公之子公子雍，他一直寄居在秦國，晉襄公死後，秦人主張立他爲國君，但遭到反對。㊳悛：悔悟，改正錯誤。㊴河曲：晉國地名，位于今山西永濟東南部。㊵涑川：水名，位于今山西省西南部。㊶俘：擄劫，掠奪。王官：晉國地名，位于今山西聞喜以西。㊷羈馬：晉國地名，位于今山西永濟以南。㊸東道之不通：秦晉兩國斷絕了聯係。晉國位于秦國東面，所以稱「東道」，意思是通往東方的道路。㊹及君之嗣也：等到您繼承了秦國國君之位。君，指秦桓公。㊺引：伸長脖子。㊻庶撫我乎：大概會撫恤我了吧。庶，大概，也許。撫，撫恤。㊼稱盟：進行會盟。

㊽狄難：指晉國與狄人交戰。㊾河縣：指晉國瀕臨黃河的縣邑。㊿箕、郜：晉國地名，箕地位于今山西蒲縣東北部，郜地位于今山西祁縣西。(51)芟夷我農功：割掉、毀壞我國的莊稼。(52)虔劉：殺害，屠殺。(53)輔氏之聚：魯宣公十五年（前五九四年），晉國在輔氏召集軍隊抵抗秦國。輔氏，晉國地名，位于今陝西大荔以東。聚，聚衆抗敵。(54)伯車：秦桓公的兒子。(55)寡君：指晉厲公。(56)不詳：沒有好心。(57)白狄：狄族的一支。同州：指雍州。(58)昏姻：晉文公在狄娶季隗爲妻。昏，通「婚」。(59)使：指秦國傳令的使臣。(60)是用：因此。(61)二三其德：三心二意，反復無常。(62)昊天：上天。昊，廣大。(63)秦三公：秦穆公、秦康公、秦共公。楚三王：楚成王、楚穆王、楚莊王。(63)出入：來往。(64)唯利是視：眼睛裏衹看到了利益，即唯利是圖。(65)不一：不專一。(66)暱：親近。(67)帥以聽命：奉命安撫諸侯，令其罷兵，服從君王的命令。(68)承寧：安定。(69)不佞：不才。(70)執事：對對方的尊稱，這裏指秦穆公。

譯文　晉厲公派呂相出使秦國，宣布與秦國斷交，說道：以前我們晉國的國君獻公與秦國的國君穆公關係友好，兩國齊心合力，而且用盟誓來確定了這種關係，還通過聯姻來使兩國的關係加深。上天把災禍降給晉國，文公逃到了齊國，惠公逃到了秦國。獻公不幸去世。秦穆公沒有忘記過去的交情，使我們的惠公可以回到晉國主持祭祀大典，成爲國君。可是秦國還沒有完成這件大功，就跟我國發生了韓原之戰。戰後秦穆公的內心也覺得後悔，所以成全我們的文公回到國內做國君。這都是秦穆公的功勞。

晉文公親自穿上盔甲，跋山涉水，經歷了各種艱難，征伐東方的各個國家，虞、夏、商、周的後人全都前來朝見秦國的國君，這便已經報答了秦國以前對晉國的恩德了。鄭國人侵略晉國的邊疆，晉文公率領諸侯與秦國一起去圍攻鄭國。秦國大夫在沒有和晉文公商量的前提下，就擅自跟鄭國訂立了盟約。諸侯都非常痛恨這樣的做法，想要跟秦國拼命。文公因爲擔心秦國因此受到損害，說服各個國家的國君，秦軍才能安全地回到國內而沒有受到傷害，這是我國對秦國的大恩大德。

晉文公不幸去世，秦穆公不懷好意地蔑視我們已經去世的國君，欺凌我們的晉襄公，侵犯我國的崤地，斷絕了秦晉兩國的友好關係，攻打我國的城池，滅亡了我國的附屬國滑國，挑撥晉國與其兄弟之國的關係，擾亂與我們結盟的國家，企圖顛覆晉國。我國的襄公沒有忘記秦君過去的功勞，但是又

擔心晉國滅亡，因此才有了崤地的戰鬥。我們希望秦穆公能夠寬恕晉國的罪過，秦穆公不同意，反而結交楚國企圖對我國不利。老天有眼，楚成王死去，這才沒讓秦穆公侵犯晉國的陰謀得逞。

秦穆公和晉襄公去世以後，秦康公和晉靈公即位。秦康公是我國先君獻公的外甥，卻總想着損害晉國，顛覆晉國，還帶着公子雍那個蟊賊回到晉國來爭奪國君之位，讓他侵擾我們的邊界，于是我國才跟秦國發生了令狐之戰。秦康公還不知道悔改，侵略我國的河曲，進攻我國的涑川，搶劫我國的王官，占領了我國的羈馬，所以我國才跟晉國發生了河曲之戰。通往東方的道路被阻斷，秦康公也斷絕了與晉國的友好關係。

到您即位爲秦國國君以後，我們的晉景公伸長了脖子望着西方說道：「大概會撫恤關照我們吧！」可是您還是不願意施加恩惠，與晉國結盟，卻趁我們跟狄人打仗的機會，侵入了我國那些瀕臨黃河的縣邑，燒毀了我國箕、郜兩個地方，割走了晉國的莊稼，屠殺晉國邊界的人民，所以晉國跟秦國又發生了輔氏之戰。您也爲兩國戰火蔓延感到後悔，所以想對着晉獻公和秦穆公祈福，于是派伯車來到晉國對景公傳令說：「我國和晉國互相友好，應該拋棄仇恨，恢復以往的情誼，來追悼以前那些國君的功績。」盟約還沒有結束，景公便去世了，所以晉國的國君和秦國的國君才有了令狐這次會盟。但是君王又產生了不良的企圖，背棄了盟約。白狄與秦國都位于雍州，是您的仇人，但卻是我國的姻親。您對我們下命令說：「我們一起進攻狄人。」我國的國君不敢顧及姻親關係，對您的威嚴感到敬畏，于是接受了君王派來的使臣所下達的進攻狄人的命令。可是您又向狄人表示了友好，對狄人說道：「晉國就要進攻你們了。」狄人表面上應允了秦國的要求，但內心裏卻厭惡秦國這種做法，所以把這件事告訴了晉國。楚國人也一樣厭惡您的反復無常，也來對晉國說：「秦國人違背了秦晉兩國的令狐之盟，要求與楚國結盟。他們對上天、秦國的三位先公與楚國的三位先王盟誓道：『雖然秦國與晉國有往來，可是秦國衹關心利益。』楚國厭惡他們反復無常的做法，所以才公開了這些事，以此懲戒那些三心二意、不夠專一的人。」各國的諸侯都聽說了這些話，所以都有一種痛心疾首的感覺，于是來跟晉國親近。如今我帶領諸侯到這裏來聽命，都是爲了想結爲盟好。假如您願意開恩照顧各國諸侯，可憐我，就與我國締結盟誓，這也是寡人的心願，寡人就會安撫各國諸侯，讓他們退回本國，怎麼敢自己招致禍亂呢？假如君王不肯對晉國施行大恩大德，那麼寡人不才，恐怕就無法率領諸侯退兵了。

我把所有的意思都對您說出來了，請您認眞地考慮怎麼做才對秦國有好處。

駒支不屈于晋 襄公十四年《左傳》

題解 駒支是晋國附庸姜戎的首領，于前五五九年參加諸侯在向地的會盟。會前，晋國的范宣子把晋國霸主地位的削弱歸咎于駒支，並威脅要拘捕他。駒支據理力辯，范宣子被説服了，並向他表示歉意。

原文 會于向①。將執戎子駒支②。

范宣子③親數諸朝曰：「來！姜戎氏。昔秦人迫逐乃祖吾離于瓜州④，乃祖吾離被苫蓋，蒙荆棘，以來歸我先君。我先君惠公有不腆之田，與女剖分而食之。今諸侯之事我寡君不如昔者，蓋言語漏洩，則職女之由。詰朝之事，爾無與焉！與，將執女。」對曰：「昔秦人負恃其衆，貪于土地，逐我諸戎。惠公蠲⑤其大德，謂我諸戎是四嶽⑥之裔胄也，毋是翦棄。賜我南鄙之田，狐狸所居，豺狼所嘷。我諸戎除翦其荆棘，驅其狐狸豺狼，以爲先君不侵不叛之臣，至于今不貳。

吳楚材、吳調侯：極寫其流離困苦之狀，以出戎醜。

昔文公與秦伐鄭，秦人竊與鄭盟而舍戍焉，于是乎有殽之師。晋禦其上，戎亢⑦其下，秦師不復，我諸戎實然。譬如捕鹿，晋人角之，諸戎掎⑧之，與晋踣之，戎何以不免？自是以來，晋之百役，與我諸戎相繼于時，以從執政，猶殽志也，豈敢離逷⑨？今官之師旅，無乃實有所闕，以攜諸侯，而罪我諸戎。我諸戎飲食衣服不與華同，贄幣⑩不通，言語不達，何惡之能爲？不與于會，亦無瞢焉。」賦《青蠅》⑪而退。

吳楚材、吳調侯：此辨戎大有功于晉，亦足云報。

宣子辭焉，使即事于會，成愷悌也。

注釋 ①向：吳地，在今安徽懷遠。②戎子駒支：姜戎族首領，名駒支。③范宣子：晋國大臣。④瓜州：地名，在今甘肅敦煌。⑤蠲：顯示。⑥四嶽：傳説爲堯、舜時四方部落首領。⑦亢：同「抗」。⑧掎：拉住。⑨逷：疏遠。⑩贄幣：見面時贈送的禮物。⑪《青蠅》：《詩經·小雅》中的篇名。

駒支不屈于晉　襄公十四年《左傳》

【題解】 駒支是晉國附屬姜戎的首領，于魯襄公十四年參加晉人向戎的會盟。會前，范宣子把晉國的意思借猜度恐嚇出來了，責世憲…秦國有貳意。

會于向①。將執戎子駒支②。范宣子③親數諸朝，曰：「來！姜戎氏④。昔秦人迫逐乃祖吾離于瓜州⑤，乃祖吾離被苫蓋⑥，蒙荊棘，以來歸我先君。我先君惠公有不腆之田，與女剖分而食之。今諸侯之事我寡君不如昔者，蓋言語漏洩，則職女之由⑦。詰朝之事，爾無與焉。與，將執女。」

對曰：「昔秦人負恃其眾，貪于土地，逐我諸戎。惠公蠲其大德，謂我諸戎是四嶽之裔冑也，毋是翦棄。賜我南鄙之田，狐狸所居，豺狼所嗥。我諸戎除翦其荊棘，驅其狐狸豺狼，以為先君不侵不叛之臣，至于今不貳。

昔文公與秦伐鄭，秦人竊與鄭盟而舍戍焉，於是乎有殽之師。晉禦其上，戎亢其下，秦師不復，我諸戎實然。譬如捕鹿，晉人角之，諸戎掎之，與晉踣之⑧。戎何以不免？自是以來，晉之百役，與我諸戎相繼于時，以從執政，猶殽志也，豈敢離逷⑨？今官之師旅，無乃實有所闕，以攜諸侯，而罪我諸戎。我諸戎飲食衣服不與華同，贄幣⑩不通，言語不達，何惡之能為？不與于會，亦無瞢焉。」

賦《青蠅》⑪而退。宣子辭焉，使即事于會，成愷悌也。

【注釋】
① 向：吳地。在今安徽蒙城縣。
② 戎子駒支：姜戎族首領，名駒支。
③ 范宣子：晉…
④ 姜戎氏：姜姓之戎…
⑤ 瓜州：地名。在今甘肅燉煌。
⑥ 苫：苫草。
⑦ 職女之由：…
⑧ …
⑨ …
⑩ 贄幣：…
⑪ 《青蠅》：《詩·小雅》中的篇名。

【譯文】各諸侯國在向地會見。打算抓戎國國君駒支。

范宣子當庭責備他說：「過來！姜戎氏。從前秦國人在瓜州追趕你們的祖先吾離，你們的祖先吾離披草蓋、戴荊棘，來投奔我國。我們的先君惠公擁有並不豐厚的田地，還與你們平分耕種。現今各諸侯國聽從我國國王號令不如從前的原因，就是言語機密被泄漏，這責任就在你們。明早諸侯的會見，你不要參加了！來參與的話，就把你抓起來。」駒支回答道：「從前秦國人倚仗他們人多，貪土地，驅逐我們各戎族人。晉惠公顯示他的大德，對我們各戎族說：這些人都是四嶽的後裔啊，不能這樣被丟棄。賜予我們南方邊陲的田地，是狐狸居住、豺狼嚎叫之處。我們各戎族鏟除那的荊棘，驅趕那的狐狸豺狼，成爲先君（晉國國王）不侵犯不叛變的臣子，到今天也沒有過二心。晉文公和秦國討伐鄭國，秦國人私下和鄭國結盟還派軍隊幫助他們守衛，因爲這事便有殽地的戰爭。晉國軍隊正面抵禦他們，我們抗擊他們的側翼，秦國軍隊被殲滅，是我們各戎族實現的啊。好比捕鹿，晉國人扳它的角，各戎族人拖住它，和晉一起將它摔倒。戎族人爲什麼不被免罪？從那以後，晉國的多次戰役，都有我們各戎族人參加，聽從你們的指揮，如同殽戰役的態度一樣，哪有過背棄呢？現今你們的軍隊，的確有些

不足，不能很好地領導各諸侯，卻怪罪到我們各戎族頭上。我們各戎族的飲食服裝和漢族不同，禮物錢幣不通用，語言不通，能做什麼壞事呢？不參加會議，也不會不痛快。」駒支賦了《青蠅》這首詩後退出。

宣子謙辭挽留，讓他參加會議，大家和氣相處了。

祁奚請免叔向 襄公二十一年《左傳》

【題解】因爲受到弟弟的連累，晉大夫叔向被捕了。欒王鮒說可以救他，叔向卻不理會，認爲衹有品德、才能和膽略皆備的祁奚才能救自己。事實證明了他的判斷，欒王鮒衹會阿諛君主，祁奚則說服范宣子救了他，也可以説是叔向的善于識人救了自己。

【原文】**欒盈[1]出奔楚。宣子殺羊舌虎[2]，囚叔向[3]。人謂叔向曰：「子離于罪，其爲不知乎？」叔向曰：「與其死亡若何？《詩》曰：『優哉遊哉，聊以卒歲。[4]』知也。」**

欒王鮒[5]見叔向曰：「吾爲子請。」叔向弗應，出不拜。其人皆咎

吳楚材、吳調侯：謂祁奚也。能免我者，必由此人。介胸中涇渭，然分明，是爲真智。

伊尹

伊尹是商初重臣，原名伊摯，尹爲官名。湯的孫子太甲爲帝時，橫行無道，被伊尹放之于桐宮，令其悔過。三年後，迎太甲復位。

叔向。叔向曰：「必祁大夫。」室老聞之，曰：「樂王鮒言于君無不行，求赦吾子，吾子不許。祁大夫所不能也，而曰必由之，何也？」叔向曰：「樂王鮒從君者也，何能行？祁大夫外舉不棄讎，內舉不失親，其獨遺我乎？《詩》曰：『有覺德行，四國順之。』⑥夫子，覺者也。」

晉侯問叔向之罪于樂王鮒，對曰：「不棄其親，其有焉。」于是祁奚老矣，聞之，乘馹⑦而見宣子，曰：「《詩》曰：『惠我無疆，子孫保之⑧。』《書》曰：『聖有謨勳，明徵定保。』夫謀而鮮過，惠訓不倦者，叔向有焉，社稷之固也。猶將十世宥之，以勸能者。今壹不免其身，以棄社稷，不亦惑乎？鯀殛而禹興；伊尹放大甲而相之，卒無怨色；管、蔡爲戮，周公右王。若之何其以虎也棄社稷？子爲善，誰敢不勉？多殺何爲？」

吳楚材、吳調侯：此社稷所賴以安固也。社稷二字，是立言之旨。

宣子說，與之乘，以言諸公而免之。不見叔向而歸，叔向亦不告免焉而朝。

注釋　①樂盈：晉大夫。與大臣范宣子爭權失利而逃亡。②宣子：范宣子。羊舌虎：晉大夫。③叔向：羊舌肸，羊舌虎兄，晉大夫。④優哉遊哉，聊以卒歲：見《詩經·小雅·采菽》。⑤樂王鮒：晉大夫。⑥有覺德行，四國順之：見《詩經·大雅·抑》。⑦馹：古代驛站專用的車。⑧惠我無疆，子孫保之：見《詩經·周頌·烈文》。

譯文　欒盈出逃到楚國。范宣子殺死羊舌虎，囚禁叔向。有人對叔向說：「您遭到此難，是因爲你不夠聰明吧？」叔向說：「比起死及逃亡如何？《詩經》中說：『自在逍遙，悠閑地過完歲月。』才是明智。」

樂王鮒看望叔向，說：「我爲您請求。」叔向不回答，樂王鮒離開，他也不拜送。他的手下都埋怨他不該如此。叔向說：「必須祁大夫才能辦到。」管家聽到後說：「樂王鮒對國王說的話沒有不被采納的，他想請求赦免您，您卻不理睬。祁大夫辦不到的，您卻說一定要他才行，爲什麼？」叔向說：「樂王鮒是順從國君的人，怎麼能辦到？祁大夫薦舉外面的人不遺棄仇人，內部不遺漏親人，難道會單獨忘掉我嗎？《詩經》中說：『有眞正的德行，四周的國家都順應他。』祁先生就是有眞正德行的人。」

晉國國君向樂王鮒詢問叔向的罪責，樂大夫答道：「不捨棄他的親人，他可能是同謀。」這時祁奚已老，可聽見這事，乘坐驛站的馬車來見范宣子，說：「《詩經》說：『給予我的恩惠無邊際，子孫永遠保護他。』《尙書》中說：『聖賢有謀略之功，就該表示一定保護他。』謀略很少有過失，良好教導別人而不知疲倦的，就是叔向這種人啊，可使國家穩固啊。對這樣的人，應該寬宥他十代子孫的罪，來勸勉有才能的人。如今一旦不能免禍，因此捨棄國家社稷，不讓人困惑嗎？鯀被殺而禹興盛；伊尹流放大甲而又做他的宰相，他始終沒有怨恨；管叔、蔡叔被殺，周公輔佐成王。爲何他要爲了虎而捨棄社稷呢？您做好事，誰敢不努力，多殺人幹什麼啊？」

宣子心悅誠服地和他一起乘車來向晉侯說情，便赦免了叔向。祁奚沒有見叔向就回家了，叔向也沒有拜謝祁奚告之自己已免除罪責，就上朝了。

子產告范宣子輕幣　襄公二十四年《左傳》

題解　范宣子當政時，晉國爲諸侯盟主，弱小諸侯要向晉國進貢。晉國對貢品的過分要求使鄭國感到難以承擔，子產托人帶信給范宣子，從晉國的利益出發，勸說他應重德行而輕財貨，有德行四方才會歸附。子產說服范宣子減輕了諸侯貢品的負擔。

原文　**范宣子爲政，諸侯之幣①重。鄭人病之。二月，鄭伯②如晉。子產寓書于子西③，以告宣子，曰：「子爲晉國，四鄰諸侯不聞令德，而聞重幣，僑也惑之。僑聞君子長國家者，非無賄之患，而無令名之難。夫諸侯之賄，聚于公室，則諸侯貳。若吾子賴之，則晉國貳。諸侯貳，則晉國壞；晉國貳，則子之家壞。何沒沒也，將焉用賄？**

吳楚材、吳調侯：賄字從重幣推出。令名，從令德推出。二句是一篇主意。

「夫令名，德之輿也④。德，國家之基也。有基無壞，無亦是務

吳楚材、吳調侯：引詩證德爲國家之基。

乎？有德則樂，樂則能久。《詩》⑤云：『樂只君子，邦家之基』，有令德也夫！『上帝臨女，無貳爾心』，有令名也夫！恕思以明德，則令名載而行之，是以遠至邇⑥安。毋寧使人謂子，子實生我，而謂子浚⑦我以生乎？象有齒以焚其身，賄也。」

宣子說，乃輕幣。

注釋 ①幣：禮物。②鄭伯：鄭簡公。③子產：公孫僑，字子產，又字子美，鄭簡公十二年（前五五四年）爲卿。子西：公孫夏，鄭大夫。④輿：車。⑤《詩》：見《詩經·小雅·南山有臺》及《詩經·大雅·大明》。⑥邇：近。⑦浚：榨取。

譯文 范宣子在晉國執政，諸侯向晉國繳納的貢品很重，鄭國人感到難以承受。二月，鄭簡公到晉國，子產讓子西帶去一封信，告訴范宣子說：「您治理晉國，四鄰諸侯沒有聽說您的美德，卻聽說要收很重的貢品，僑對這事感到困惑。僑聽說君子治理國家和家族的，不是爲沒有財貨擔憂，而是爲沒有好名聲擔憂。諸侯的財貨聚集在晉國國君的宗室，諸侯就離心。如果您依賴這些財貨，晉國人就會不團

結。諸侯離心，晉國就受損害；晉國人離心，您的家室就垮臺。爲什麼不覺悟呢？那時哪裏還需要財貨？

「美名，是傳播德行的工具；德行，是國家的根基。有基礎就不致垮臺，您不也應當致力于此嗎？有了德行就快樂，快樂就能長久。《詩經》說：『快樂的君子，是國家的基石』，是因爲有美德吧！『天帝監視着你，不要使你三心二意』，說的是有好名聲啊！用寬恕的心來發揚德行，美名就會載着德行走向四方，因此遠方的人聞風而至，近處的人也心安。是寧可讓人說『您的確養活了我們』，還是讓人說『您榨取了我們來養活自己』呢？象有牙齒而毀滅了它自身，就是它有價值的緣故。」

范宣子很高興，便減輕了諸侯的貢品。

晏子不死君難 襄公二十五年《左傳》

題解 前五四八年，齊莊公因與崔杼之妻通奸，爲崔杼所殺。晏子冒着危險去崔杼家哭莊公，但他認爲莊公身爲國君，不以國事爲重，既然國君並非爲國事而死，臣子也就不必追隨他去死。他冒死去哭莊公，是爲了盡臣子之禮。晏子的看法符合「民貴君輕」的儒家觀點。

原文 崔武子見棠姜而美之①。遂取之。莊公通②焉。崔子弒之。

晏子③立于崔氏之門外。其人曰：「死乎？」曰：「獨吾君也乎哉？吾死也？」曰：「行乎？」曰：「吾罪也乎哉！吾亡也？」曰：「歸乎？」曰：「君死安歸？君民者，豈以陵④民？社稷是主。臣君者，豈爲其口實⑤？社稷是養。故君爲社稷死則死之，爲社稷亡則亡之。若爲己死，而爲己亡，非其私暱⑥，誰敢任之？且人有君而弑之⑦，吾焉得死之，而焉得亡之？將庸何⑧歸？」

門啓而入，枕尸股而哭，興，三踊⑨而出。人謂崔子：「必殺之。」崔子曰：「民之望也，捨之得民。」

吴楚材、吴調侯：從社稷立論，案斷如山，不可移易。

注釋　①崔武子：崔杼，齊國卿。棠姜：齊國大夫棠公之妻，棠公死後嫁給崔杼。②通：私通，指男女之間有私情。③晏子：晏嬰，字平仲。歷仕齊靈公、莊公、景公三世，曾任齊國國相。④陵：凌駕，超越。⑤口實：口中的食物，這裏指俸禄。⑥私暱：偏愛、親近的人。⑦人：指崔杼。有君：得到國君的寵信。⑧庸何：怎麽。⑨踊：跳，此處指因爲過于哀痛而跺脚。

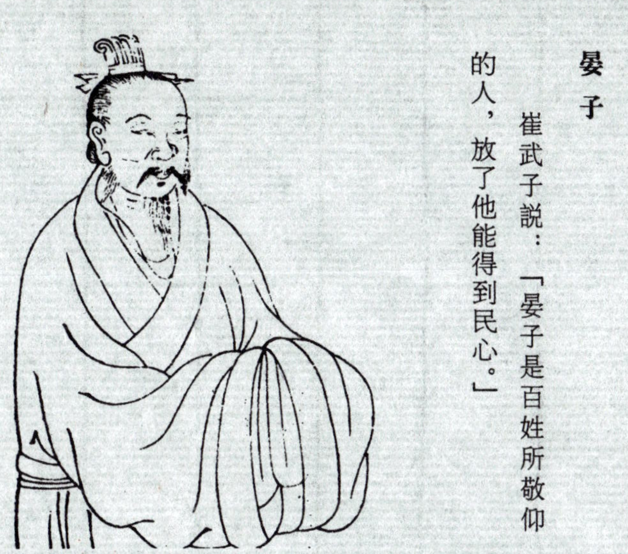

晏子

崔武子說：「晏子是百姓所敬仰的人，放了他能得到民心。」

譯文　崔武子見到棠姜，覺得她很美，就娶了她。齊莊公和她私通，崔武子殺死了莊公。

晏子站在崔家門外。隨從說：「死嗎？」晏子說：「是我一個人的國君嗎，我爲什麼死？」隨從說：「出逃嗎？」晏子說：「是我的罪過嗎，我爲什麼逃？」隨從說：「回去嗎？」晏子說：「國君死了，回哪兒去？做百姓的君主，難道就是爲了凌駕于百姓之上？是要管理國家。做國君臣子的人，難道就是爲了自己的俸祿？是要保養國家。所以國君爲國家而死，臣下就爲他去死；爲國家而逃亡，就跟着他逃亡。如果爲自己而死，或爲自己而逃亡，不是國君所寵愛的人，誰敢承擔責任？而且擁立他的人又殺掉他，我怎能爲他而死？怎能爲他而逃

亡？又回到哪裏去呢？」

門開了，晏子進去，頭枕在屍首的大腿上大哭，哭畢站起來，跳了三下，然後走出去。有人對崔武子說：「一定要殺掉他。」崔武子說：「晏子是百姓所敬仰的人，放了他能得到民心。」

季札觀周樂 襄公二十九年《左傳》

題解 吳國公子季札訪問中原各國，希望與諸侯建立友好關係。前五四四年，他在魯國觀賞了保存在這裏的周樂，並對一些作品做了評價，從中可以看出，古人認爲樂舞與治亂有着密切的關係。《古文觀止》的書名，即來自此文中季札對《韶箾》「觀止矣」的贊美。

原文 吳公子札①來聘，請觀于周樂。

使工爲之歌《周南》、《召南》②。曰：「美哉！始基之矣，猶未也；然勤而不怨矣。」爲之歌《邶》、《鄘》、《衛》③。曰：「美哉淵乎！憂而不困者也。吾聞衛康叔、武公④之德如是，是其《衛風》

乎？」爲之歌《王》⑤。曰：「美哉！思而不懼，其周之東乎？」爲之歌《鄭》⑥。曰：「美哉！其細已甚，民弗堪也，是其先亡乎？」爲之歌《齊》⑦。曰：「美哉！泱泱乎，大風也哉！表東海者，其大公乎？國未可量也。」爲之歌《豳》⑧。曰：「美哉，蕩乎！樂而不淫，其周公之東乎？」爲之歌《秦》⑨。曰：「此之謂夏聲。夫能夏則大，大之至也，其周之舊乎？」爲之歌《魏》⑩。曰：「美哉，渢渢⑪乎！大而婉，險而易行，以德輔此，則明主也。」爲之歌《唐》⑫。曰：「思深哉！其有陶唐氏⑬之遺民乎？不然，何憂之遠也？非令德之後，誰能若是？」爲之歌《陳》⑭。曰：「國無主，其能久乎？」自《鄶》⑮以下，無譏焉。

爲之歌《小雅》⑯。曰：「美哉！思而不貳，怨而不言，其周德之衰乎？猶有先王之遺民焉。」爲之歌《大雅》⑰。曰：「廣哉！熙熙

吳楚材、吳調侯：思文武而不畏播遷，其東遷以後之詩乎。

吳楚材、吳調侯：以上是歌，以下是舞。上俱以爲之二字引起，下俱以見字引起。上皆是反復想象，下語多著實，蓋闡虛而見實也。

乎！曲而有直體，其文王之德乎？」

爲之歌《頌》⑱。曰：「至矣哉！直而不倨，曲而不屈；邇而不逼，遠而不攜；遷而不淫，復而不厭；哀而不愁，樂而不荒；用而不匱，廣而不宣；施而不費，取而不貪；處而不底，行而不流。五聲⑲和，八風平，節有度，守有序，盛德之所同也。」

見舞《象箾》、《南籥》⑳者。曰：「美哉！猶有憾。」見舞《大武》㉑者。曰：「美哉！周之盛也，其若此乎？」見舞《韶濩》㉒者。曰：「聖人之弘也。而猶有慚德，聖人之難也。」見舞《大夏》㉓者。曰：「美哉！勤而不德，非禹其誰能修之？」見舞《韶箾》㉔者。曰：「德至矣哉！大矣！如天之無不幬㉕也，如地之無不載也。雖甚盛德，其蔑以加于此矣。觀止矣！若有他樂，吾不敢請已。」

注釋

①公子札：季札，吳王壽夢的小兒子。②《周南》、《召南》：采自周、召地方的樂歌。③《邶》、《墉》、《衛》：采自邶、墉、衛地區的樂歌。④武公：康叔九世孫。⑤《王》：采自東周首都洛陽一帶的樂歌。⑥《鄭》：采自鄭地的樂歌。⑦《齊》：采自齊地的樂歌。⑧《豳》：采自豳地的樂歌。⑨《秦》：采自秦地的樂歌。⑩《魏》：采自魏地的樂歌。⑪汎汎：形容音樂婉轉悠然。⑫《唐》：采自唐地的樂歌。⑬陶唐氏：唐堯。⑭《陳》：采自陳地的樂歌。⑮《鄶》：采自鄶地的樂歌。⑯《小雅》：主要是貴族作品，也有一些民間歌謠，多創作于西周晚期。⑰《大雅》：西周時期貴族作品。⑱《頌》：祭祀所用樂歌。有周頌、魯頌、商頌。⑲五聲：指宫、商、角、徵、羽五聲音階。⑳《象箾》：執竿而舞，這是一種顯示勇武的舞蹈。箾，是舞蹈者手持

任賢圖治

帝堯在位時，任用賢臣，將國家治理得很好。所以季子贊美那時有美好的品德。

吳楚材、吳調侯：季札賢公子，其神智器識，乃是春秋第一流人物，故聞歌見舞，便能盡察其所以然。讀之者，細玩其逐層摹寫，逐節推敲，必有得于聲容之外者。如此奇文，非左氏其孰能傳之。

的竿。《南籥》：執籥而舞，這是一種象徵文明的舞蹈。籥，古樂器，也用作舞蹈者手持的道具。㉑《大武》：歌頌周武王的樂舞。㉒《韶濩》：歌頌商湯的樂舞。㉓《大夏》：歌頌夏禹的樂舞。㉔《韶箾》：虞舜時的樂舞。又作簫韶。㉕幬：覆蓋。

譯文 吳國公子季札到我國聘問，請求觀賞周朝的音樂舞蹈。

魯派樂工爲他演唱《周南》、《召南》，他說：「美妙啊！周朝的教化已經開始奠定基礎了，但尚未完成；不過人民雖然辛勞卻不怨忿了。」爲他演唱《邶》、《鄘》、《衛》，他說：「美妙啊，深遠啊！憂傷但不困窘。我聽說衛康叔、武公的德行就是這樣，這可能是《衛風》吧？」爲他演唱《王》，他說：「美妙啊！雖憂慮卻不畏懼，這大概是周室東遷後的樂詩吧？」爲他演唱《鄭》，他說：「美妙啊！可是內容太瑣碎，人民是無法忍受的，這恐怕要先亡國吧！」爲他演唱《齊》，他說：「美妙啊！宏大啊，這是大國的音樂！作爲東海諸國的表率的，可能是姜太公之國吧？這個國家前程不可限量啊。」爲他演唱《豳》，他說：「美妙啊，寬大啊！歡樂而不過度，應該是周公東征時的音樂吧？」爲他演唱《秦》，他說：「這叫夏聲。能發夏聲就顯得宏大，大到極點了，也許是周朝舊時的音樂吧？」爲他演唱《魏》，

他說：「美妙啊，婉轉抑揚啊！樂聲粗獷而言辭婉轉和順，艱難卻容易實行，用德教輔助他，就會成爲賢明的君主。」爲他演唱《唐》，他說：「憂思多麼深沉啊！大概是陶唐氏的遺民吧？不然的話，爲什麼憂思這樣深遠呢？不是有德之人的後代，誰能夠像這樣？」爲他演唱《陳》，他說：「國家如果沒有君主，難道會久遠嗎？」從《鄶》以下，沒有評論。

爲他演唱《小雅》，他說：「美妙啊！憂思卻沒有背叛之心，怨恨卻不說出，大概是周朝的德教已經衰微了吧？還有先王的遺民在啊。」爲他演唱《大雅》，他說：「眞寬廣啊，多和美啊！樂曲抑揚曲折而道勁剛直，恐怕是文王的美德吧？」

爲他演唱《頌》，他說：「美到極致了！正直而不倨傲，委曲而不卑屈；緊密而不局促，悠遠而不散漫；雖有變動而不邪亂，反復往來而不厭倦；哀傷而不憂愁，歡樂而不荒淫；使用資財而不匱乏，心地寬廣而不炫耀；施惠而不損耗，徵收而不貪婪；靜止而不停留，流動而不顯得泛濫。五聲和諧，八風協調。節奏有一定的尺度，樂器合鳴依照順序，這是有盛德的人所共有的。」

見到在演《象箾》、《南籥》舞。季札說：「美妙啊！不過還有令人遺憾之處。」看到表演《大武》

舞，他說：「美妙啊！周朝興盛的時候，應該這樣吧？」看見表演《韶濩》舞。說：「聖人這麼偉大，尚且還表現出缺點，聖人眞不容易做啊。」看到表演《大夏》舞。他說：「美妙啊！勤勞于民而不自居有德，不是禹，誰還能創此樂舞？」看到跳《韶箾》舞。他說：「盛德達到極點了！眞偉大啊！就好像天那樣無不覆蓋，就好像大地那樣無不承載，德行達到了頂點，沒有辦法再增加了。就觀賞到此吧！即使還有其他樂舞，我也不敢再有所請求了！」

子產壞晉館垣 襄公三十一年《左傳》

題解　春秋時期，周王室日益衰微，齊、晉、秦、楚等國相繼稱霸，鄭國是個小國，整日周旋于這些大國之間，却經常受到威脅。子產隨鄭簡公去晉國參加會盟，却遭到晉國冷遇，鄭國君臣下榻的驛館簡陋狹窄，以致于連帶去的禮物都無法安置。子產果斷地讓人拆掉了驛館的墻垣，使隨行車馬得以進入。晉平公聽說此事之後，派士文伯前來責問子產，子產憑借自己的機智和辯才，不卑不亢地陳述了自己的理由，表明了鄭國的態度，爲鄭國爭得了尊嚴和榮譽。趙文子和晉平公被子產的辯才折服，親自向子產謝罪，

鄭簡公也因此得到了禮遇。

吳楚材、吳調侯：見則有宴好，雖以吉凶不並行爲辭，實輕鄭也。

原文　子產相鄭伯以如晉[1]，晉侯以我喪故[2]，未之見也。子產使盡壞其館之垣而納車馬焉[3]。士文伯[4]讓之曰：「敝邑以政刑之不修，寇盜充斥，無若諸侯之屬辱在寡君者何[5]，是以令吏人完客所館，高其閈閎[6]，厚其牆垣，以無憂客使。今吾子壞之，雖從者能戒，其若異客何？以敝邑之爲盟主，繕完葺牆[7]，以待賓客。若皆毀之，其何以共命[8]？寡君使匄請命[9]。」對曰：「以敝邑褊小，介于大國，誅求無時[10]，是以不敢寧居，悉索敝賦，以來會時事[11]。逢執事之不閑，而未得見；又不獲聞命，未知見時。不敢輸幣[12]，亦不敢暴露[13]。其輸之，則君之府實也，非薦陳[14]之，不敢輸也。其暴露之，則恐燥濕之不時而朽蠹，以重敝邑之罪。僑聞文公之爲盟主也，宮室卑庳[15]，無觀臺榭[16]，以崇大諸侯之館，館如公寢[17]；庫廄繕修，司空以時平易道路[18]，圬人以時

塓館宮室[19]；諸侯賓至，甸設庭燎[20]，僕人巡宮，車馬有所，賓從有代，巾車脂轄[21]，隸人、牧、圉，各瞻其事[22]；百官之屬，各展其物；公不留賓[23]，而亦無廢事；憂樂同之，事則巡之，教其不知，而恤其不足。賓至如歸，無寧菑患[24]；不畏寇盜，而亦不患燥濕。今銅鞮之宮[25]數里，而諸侯舍于隸人，門不容車，而不可逾越；盜賊公行，而夭厲不戒[26]。賓見無時，命不可知。若又勿壞，是無所藏幣，以重罪也。敢請執事，將何所命之？雖君之有魯喪，亦敝邑之憂也。若獲薦幣，修垣而行，君之惠也，敢憚勤勞[27]？」

文伯復命。趙文子[28]曰：「信。我實不德，而以隸人之垣以贏諸侯[29]，是吾罪也。」使士文伯謝不敏焉。

晉侯見鄭伯，有加禮，厚其宴好而歸之[30]。乃築諸侯之館。

叔向曰：「辭之不可以已也如是夫！子產有辭，諸侯賴之，若之

何其釋辭也[31]？《詩》曰：『辭之輯矣，民之協矣；辭之懌矣，民之莫矣[32]。』其知之矣。」

注釋　①相：輔佐。鄭伯：指鄭簡公，前五六五年至前五二九年在位。②晉侯：指晉平公，前五五七年至前五三二年在位。我喪：這裏用魯國史官的口氣，指魯襄公去世，正值喪期。③壞：拆毀。館之垣：驛館的圍墻。④士文伯：晉國大夫，名丐，字伯瑕，與範宣子士丐同族同名。⑤屬：臣下，屬官。在：問候。⑥閈閎：指驛館的大門。⑦完：通「院」，指墻垣。葺：用草蓋墻。⑧共命：提供賓客需求的東西。共，通「供」。⑨請命：請問原因。⑩誅求：索取，勒索進貢的物品。無時：沒有固定的時間。⑪時事：隨時向晉國朝貢的事情。⑫輸幣：獻上財物等貢品。⑬暴露：露天存放。暴，通「曝」。⑭薦陳：獻上並且在庭院裏當場陳列。⑮卑庳：低矮。⑯觀：宮門兩邊的高大建築。臺：用土築成的高而平的建築物。⑰公寢：國君居住的宮室。⑱司空：掌管土木建築的官員。平易：平整。⑲圬人：泥瓦匠。塓：粉刷墻壁。⑳甸：甸人，負責柴草的官員。庭燎：放在院子裏用來照明的火炬。㉑巾車：負責調度

車輛的官員。脂：指加油。轄：車軸頭的插鐵。㉒隸人：從事灑水、掃地等清潔工作的僕役。牧：看管、放牧牛羊的人。圉：養馬的奴隸。瞻：看管。㉓不留賓：不讓賓客滯留。㉔菑患：災禍。菑，通「災」。㉕銅鞮之宮：晉國國君的别宫，位于今山西沁縣西南。㉖夭厲：疾病流行。不戒：無法防範。㉗憚：害怕，畏懼。㉘趙文子：晉國大夫，名趙武。㉙垣：這裏指房舍。嬴：接待。㉚加禮：禮節非常隆重。好：宴會上送給賓客的禮物。㉛釋：放棄。㉜辭之輯矣，民之協矣；辭之懌矣，民之莫矣：出自《詩·大雅·板》。輯，和順。協，和諧，融洽。懌，敗壞。莫，通「瘼」，病。

譯文

子產輔佐鄭簡公去晉國參加會盟，晉平公由于魯國正在辦喪事，所以沒有接見。子產于是讓人把驛館的圍牆全都拆毁了，然後把鄭國的車馬都趕了進去。晉國大夫士文伯指責子產說：「我們國家因爲政事和刑罰施行得不好，所以盜賊很多，對于屈尊降臨我國、拜訪我國國君的諸侯，不知道怎麽保護他們的安全，所以派出官員來修葺賓客居住的館舍，館門修建安得很高大，圍牆建造得非常厚，這樣賓客和使者就不會爲安全擔心。如今您將圍牆拆毁，就算您的隨從能夠擔當戒備任務，可其

他國家的賓客又該怎麽辦呢？因爲晉國是諸侯盟主，所以在驛館周圍修建圍牆的目的，也是爲了接待賓客。假如將圍牆全都拆毁，還怎麽去滿足賓客們的要求呢？我們的國君讓我來向您詢問拆牆的原因。」子產回答道：「鄭國國土面積狹小，處于大國之間，大國要求我們交納貢品是沒有固定期限的，因此我們不能安居，衹好從國内盡力搜尋財物，這樣才能隨時可以到晉國來朝見納貢。遇到您不得空閑，不能見面；又未接到命令，不知道什麽時候才能朝見。我們既不敢留然把財物進獻，又不敢隨意讓它們在露天存放。假如已經進獻了，那這些東西就算是貴國國君府庫中的財物，可是如果不經過進獻的儀式，我們又不敢進獻。假如將貢品在露天存放，又害怕因爲風吹雨淋而腐爛或被蟲蛀，這樣我國的罪過就加重了。我聽說，晉文公以前身爲盟主的時候，他所居住的宫殿低下矮小，也沒有高大的樓閣臺榭，不過卻會將接待賓客的館舍修建得非常高大，驛館就像國君的寢宫似的；倉庫跟馬棚也修建得非常好，司空會定時修整道路，泥瓦匠會定時粉刷館捨的房間；各國諸侯的賓客到來以後，甸人就會把庭院中的火把點燃，僕人們會巡視每一間客捨，馬車要想存放也有地方，賓客的隨行人員也都有人替代，負責照顧車輛的人會給車軸上油，清掃房間的人，喂養牲口的人，都會負責好自己的本職工作；

古文观止 〈卷二　周文　五十七〉 崇贤馆藏书

各個部門的官員都會仔細地檢查用來招待賓客的物品；晉文公也從來不會讓賓客們等得時間太長，也不會出現被延誤了的情況；而且晉文公和賓客同憂共樂，出了事立刻就進行調查，有不明白的地方就請教，有什麼需要也進行接濟。賓客來到這裏就像回到了家裏一樣，怎麼會有災患呢；賓客們不用擔心有人會搶劫偸盜，也無需擔心天氣的乾燥潮濕。如今晉國國君居住的銅鞮別宮方圓有好幾里，卻令諸侯的賓客在這樣奴僕所住的房子裏留住，車輛無法進入大門，也不能翻牆而入；盜賊公開橫行，天災也很難預防。接待賓客沒有固定的時間，召見的命令也不知道什麼時候才發布。假如不把圍牆拆毀，就沒有存放貢禮的地方，那麼我們的罪過就更重了。我大膽地問您一句，您對我們有什麼指教？雖然晉國遇到了魯國的喪事，但這也是鄭國的憂傷啊。假如可以讓我們早點把禮物獻上，我們就會趕緊修好圍牆，然後再離開，這是貴國國君的恩惠，我們怎麼敢畏懼這些辛勞？」

士文伯把這些話回報晉國國君。趙文子說：「確實是這樣啊。我們的確沒有注意培養自己的德行，這些房舍就像奴僕居住的一樣，用這樣的地方來招待諸侯，這是我們的過失啊。」他于是就讓士文伯去向子產道歉，說明自己的確有不明事理的罪過。

晉平公用非常隆重的禮節召見了鄭簡公，招待鄭簡公的宴會和送給他的禮物也非常優厚，然後熱情地送鄭簡公回到鄭國。然後晉國又修建了招待諸侯的賓館。

叔向說：「辭令不能被放棄就是這個原因啊！子產擅長辭令，諸侯因爲他的辭令而得到了好處，怎麼能不講究辭令呢？《詩·大雅·板》中說道：『言辭和平，百姓和諧；言辭乖張，百姓遭殃。』子產應該是很明白這個道理的。」

子產論尹何爲邑 襄公三十一年《左傳》

題解　鄭國的上卿子皮想任用年紀很輕但是忠厚老實的尹何擔任邑大夫之職。但是子產認爲不可以，他覺得尹何應該先學習如何處理政事，然後再去擔任官職。爲了說服子皮，子產采用了各種比喻，反復陳述不學習便從政會有多麼大的危險，最終子皮對子產心服口服。

這篇文章通過對話將人物性格表現得淋漓盡致，子產深謀遠慮，以理服人；子皮謙虛謹慎，從諫如流，他們都不愧爲優秀的政治家。

原文

子皮欲使尹何爲邑①。子產曰：「少②，未知可否。」子皮曰：「愿③，吾愛之，不吾叛也④。使夫⑤往而學焉，夫亦愈知治矣。」子產曰：「不可。人之愛人，求利之⑥也。今吾子愛人則以政。猶未能操刀而使割也，其傷實多。子之愛人，傷之而已，其⑦誰敢求愛于子？子于鄭國，棟⑧也。棟折榱⑨崩，僑將厭⑩焉，敢不盡言！子有美錦，不使人學制焉。大官、大邑，身之所庇⑪也，而使學者製焉。其爲美錦，不亦多乎？僑聞學而後入政⑫，未聞以政學者也。若果行此，必有所害。譬如田獵，射御貫⑬，則能獲禽；若未嘗登車射御，則敗績厭覆是懼⑭，何暇思獲？」子皮曰：「善哉！虎不敏⑮。吾聞君子務知大者、遠者，小人務⑯知小者、近者。我，小人也。衣服附在吾身，我知而慎之；大官、大邑，所以庇身也，我遠⑰而慢之。微⑱子之言，吾不知也。他日⑲我曰：『子爲鄭國，我爲吾家⑳，以庇焉，其可也。』

吳楚材、吳調侯：言求免自害且不能，何暇求其無害于治。四喻，破夫亦愈知治句。一喻尹何，二喻自己，三喻子皮，四又喻尹何。隨手出喻，絕無痕跡。

今而後知不足。自今請雖吾家，聽子而行。」子產曰：「人心之不同，如其面焉。吾豈敢謂子面如吾面乎？抑㉑心所謂危，亦以告也。」子皮以爲忠，故委政㉒焉。子產是以㉓能爲鄭國。

吳楚材、吳調侯：結出子產治政之由。學而後入政，未聞以政學二語，是通體結穴，前後總是發明此意。子產傾心吐露，子皮從善若流，相知之深，無過于此。全篇純以譬喻作態，故文勢宕逸不群。

注釋

①子皮：名罕虎，字子皮，鄭國上卿公孫捨之子。尹何：子皮的家臣。爲：治理。邑：封邑，采邑。②少：年輕。③愿：謹慎忠厚。④不吾叛也：不會背叛我。⑤夫：人稱代詞，他。⑥利之：對他有利。⑦其：那麼，帶有疑問語氣。⑧棟：棟梁。⑨榱：屋椽。⑩厭：通「壓」。⑪庇：庇護，托身。⑫入政：進入仕途，管理政務。⑬射御：射箭，駕駛馬車。貫：通「慣」，習慣，熟練。⑭敗績厭覆是懼：「懼敗績厭覆」，害怕事情失利，導致乘車的人被傾覆輾壓。⑮不敏：不聰明。⑯務：投身，努力從事。⑰遠：疏遠，疏忽。⑱微：沒有，帶有假設意味。⑲他日：從前。⑳家：卿大夫的食邑和封地。㉑抑：衹不過，但是。㉒委政：委托政事。㉓是以：「以是」，由于這一點。

譯文

子皮想讓自己的家臣尹何去治理一塊屬于自己的封地。子產說：「尹何年紀很輕，不知

子產

是否可以勝任這個職務。」子皮說：「他爲人謹慎，性格忠厚，我很喜歡他，他肯定不會做什麼背叛我的事情。讓他到那兒去學習，他就會更加明白如何處理政事。」子產說：「不能這樣做。一個人如果確實喜歡某個人，那他所做的事情就應該對他有利。如今您因爲喜歡某個人，就想讓他去治理封地的政事。這就像讓一個不知道怎麼拿刀的人去割肉似的，大多數情況下不僅不能割肉，反而會把自己割傷。您所謂喜歡別人，衹不過是對別人造成傷害罷了，那麼從今以後還有誰去求得您的喜愛呢？您對于鄭國來說，就像建造房屋的棟梁一樣。如果棟梁折斷，那麼屋子就要坍塌，我也會因此而被壓在屋底下，所以怎麼敢不將自己的所有想法告訴您呢！就像如果您手裏有一塊非常華麗的綢緞，您肯定不願意讓一個生手拿它來練習裁剪衣服。

做很大的官、治理很大的城邑，這些都是人們寄托了身家性命的重大事情，可是您卻叫一個還處于學習階段的人去做。大官、大邑和一塊美麗的綢緞相比，難道不是更貴重一些嗎？我衹聽別人說要學好之後再去處理政事，卻沒有聽說過讓別人在治理政事的過程中去學習的。假如眞要這麼做，肯定要遭受危害。就拿打獵來做比方，衹有把射箭、駕車這寫技能練得熟練了，才能夠捕獲到飛禽走獸；假如一個人從來沒有上過車、射過箭、駕馭過馬車，那麼他就總擔心自己會翻車、會被壓死，這樣總是提心弔膽的，怎麼還有精力去獵獲禽獸呢？」子皮說道：「眞好啊！我眞的是不聰明。我聽人說過，君子總會努力讓自己去明白那些重大而又遙遠的事情，小人卻一直讓自己去明白那些近在眼前微小事情。我眞是小人啊。衣服穿在我的身上，我就知道愛惜；而大官、大邑這些寄托這很多人身家性命的東西，我卻因爲覺得很遙遠而不予以重視。如果不是您對我說了這番話，我是不會明白這樣的道理的。以前我曾經說過：『您治理鄭國全國，我治理我的封地，有了您的蔭庇，我就能夠治理好我的封地。』現在我才明白，這樣做是很不夠的。從現在開始，請您答應我，就是要治理我自己的封地，也要好好聽取您的意見，然後再去做事。」子產說道：「每個人心裏的想法是不一樣的，這就像人的容貌一樣。我怎